스물세 편의 러브레터에 소통을 담아내다

스물세 편의 러브레터에 소통을 담아내다

발행	2024년 05월 20일
저자	한현태
펴낸이	한건희
펴낸곳	주식회사 부크크
출판사등록	2014. 07. 15(제2014-16호)
주소	서울특별시 금천구 가산디지털1로 119 A동 305호
전화	1670-8316
E-mail	info@bookk.co.kr
ISBN	979-11-410-8598-8

www.bookk.co.kr

스물세 편의 러브레터에
소통을 담아내다

한현태 지음

BOOKK

차례

프롤로그

공동체를 유지하는 강력한 힘은 경제와 소통입니다. 노동과 자본의 흐름으로 활기차게 노를 저어가는 것이 경제이고 조직원의 유대와 협력을 필요로 하는 것이 소통입니다. 소통이 잘 이루어져야 공동체가 삐걱거리지 않고 나아갑니다. 2020년 발생한 코로나는 시민의 건강을 빼앗기도 했지만 대화와 몸짓으로 행해지는 소통을 가로막아 같은 공간에서조차 직원들을 분리해 놓았습니다.

고민이 시작되었습니다. 어떻게 한 공간에서 어려움을 얘기하고 토로할 수 있을까? 돌파구를 찾고자 했습니다. 소통의 場을 마련하고 싶었습니다. 고민 끝에 저의 경험을 직원분들과 같이 나누면 일의 어려움을 이겨내고 시민에게 더 다가설 수 있다고 생각되었습니다.

그래서 저의 삶을 이루고 있는 과거와 왁자지껄 주변 이야기, 얕은 정치와 사회문제를 바라보는 아픔, 일을 하면서 얻게 된 작은 기쁨을 '러브레터'에 담았습니다. 2020년 8월부터 시작된 '러브레터'는 1,000일의 시간이 소요됐고 스물세 편이 되었습니다.

이러한 과정과 익어가는 세월의 덕으로 눈빛만으로도 마음을 전할 수 있었고 작은 몸짓으로도 할 일에 대해 충분히 예단이 가능해졌습니다.

되돌아보니 이 모든 게 흐르는 물(水)이었습니다. 가다가 힘들면 쉬고 장애물이 있으면 비껴가지만 계속 앞으로 나아가는 그런 물(水) 이었습니다.

나를 뱉어내고 직원들과 함께 호흡하는 일상이 즐거웠고 따뜻했습니다. 타인이 나를 어떻게 바라보는지 알 순 없어도 내가 타인을 바라보는 시선은 무척이나 따뜻해졌습니다. 글을 쓰면서 내가 힐링 되었고 몸과 마음이 바르게 되었습니다.

무엇보다 함께한 시민 및 직원분들에게 감사드립니다. 자본주의 시대에 가장 중요한 것은 돈(자본)이라 합니다. 그럴 만도 합니다. 돈이 있으면 가능한 대부분의 일을 해결해 나갈 수 있습니다. 그렇지만 돈보다 가치를 인정받는 건 시간입니다.

돈도 시간이 투자되어야 하기 때문입니다. 긴 시간을 기꺼이 할애하여 '러브레터'를 읽어주고 기다려준 이들에게 감사한 이유입니다.

주변의 격려와 도움으로 책으로 펴내려고 지금까지 써온 글을 읽어 봤습니다. 지금과의 생각과 다른 부분도 있었으나 당시의 마음을 그대로 갖고 싶어 수정 없이 편집합니다.

이 지경에 이르도록 도와주신 동료분들에게 감사하고 너그러운 마음으로 안아주시길 바랍니다.

2024년 4월 저자 한현태

추천서 1

사소한 일들이 일상을 환기하듯이
같은 시대, 같은 공간을 공유하는 친우로서..
작가의 삶에 있어 진중하고도 섬세한 자세가
엿보이는 "러브레터" 라는 타이틀로
잠시나마 나의 삶을 환기해 봅니다.

퇴임을 앞둔 보통 중년의 가장이 써 내려간
글치고는 다소 깜찍한 "러브레터" 라는 제목은
우연으로 선택하게 된 공직의 길이 그에게
제법 어울리는 "삶" 이었음을 보여 줍니다.

한 장 한 장 일상적인 것들을 시간별로 주제를 담고 있는 "러브레터" 에서는 오랫동안 공직자로서 바라본 우리 사회의 모습에서 직장의 조직과 시민들을 위해 나름 일하고자 노력했던 작가의 고민과 번뇌, 그리고 해학의 발자취가 여기저기 정겹게 담겨 있습니다. 마치 평범한 우리들의 삶임과 동시에 근사한 인생의 주인공을 마주 대하는듯합니다.

가장으로서는 물론이고 완숙한 직장인으로서 한편 열심히 살아가는 사회인으로서 공감이 가는, 아주 가까운 일상적이고 감각적인 이야기들…

러브레터를 통해 나는 언제 행복한지 누구와 어떤 일상을 살아가고 있는지에 대한 짧지만, 많은 공감과 사색을 할 수 있었습니다. 작가의 일상을 통해 공직에 대한 이해와 삶의 자세를 한 권의 편지로 경험하시고, 많은 지혜를 얻어·가시길 바랍니다. 오랜 공직 생활의 마무리를 앞두고 에세이를 준비한 친우의 멋진 도전을 응원합니다.

24년 이른 봄에 慧山~

추천서 2

러브레터를 전달합니다.

일과를 마치고 나만의 시간을 갖게 된 고요한 한밤중에 펼쳐 본 러브레터에 나도 모르게 미소가 지어지고, 가슴이 따뜻해지는 걸 느꼈습니다. 30년 동안 가까이 사는 친족으로서 일상을 지켜보았던 저자의 모습 그대로인 훈훈한 글을 마주했기 때문입니다.

늘 다양한 종류의 독서를 통하여 세상을 살아가는 지혜를 배우기 위한 즐거운 노력을 기울였던 저자는 직장 동료들에게 아름답고 행복한 삶을 함께 살자며 다정하게 속삭입니다.

러브레터는 일상의 소소한 경험을 통하여 동시대를 살아온 사람들에게 '그땐 그랬지' 하며 공감할 수 있는 추억을 소환해 주는가 하면, 그 추억거리들의 역사적 사실과 의미를 알려주는 대목들은 신선한 재미로 다가옵니다.

저자는 희망하는 공동체에 소속되는 순간 행복이 완성되는 것이 아니라 그때부터 그 공동체와 함께 행복을 향한 끝없는 노력이 시작되는 것이라고 말합니다. 그리고 공동체 안에서 우리가 이루려는 개인적 성장은 우리가 속한 공동체 구성원들의 지지 없이는 달성할 수 없음을 강조합니다.

또한 일터공동체에서 성장환경과 성격 등에 따라 행동 양식과 가치관이 다른 구성원들과도 많은 시간을 함께해야 하는데, 자신의 말을 귀담아들어 주는 사람에게서 내가 이해받고 인정받고 있음을 느끼게 되고 그에게 호감이 가는 만큼, 먼저 귀기울이는 태도로 공동체 구성원들의 차이점을 서로 존중한다면 서로에게 상처를 주지 않고 화합하는 가족 같은 친밀한 공동체가 될 수 있음을 알려줍니다.

"삶의 목적은 행복이다."라고 했던 철학자의 말을 빌리며, 저자는 우리가 겪는 일상의 고통이 어쩌면 행복에 가장 가까운 모습이 아닐까 하는 생각이 든다고 했는데, 고통을 겪은 후에는 작고 좋은 일에도 평상시보다 더 큰 행복감과 감사함을 느낄 수 있으니 맞는 말이라고 맞장구도 쳐집니다.

러브레터는 공동체 안에서 서로 도움을 주고받는 우리 모두 공적 책임감을 갖고 살아야 함을 생각하게도 합니다. 또한 제주 4·3사건이나

5·18광주민주화운동 등등 역사적으로 현재의 평화와 민주화를 위해 헌신했던 분들에게 우리가 빚지고 살아가고 있으니 감사할 줄 알아야 하고 그들의 뜻과 노력을 잊지 않기를 당부합니다.

특히 광주에 근거지를 두고 살아가는 우리들이 지방 공휴일로 지정된 5월 18일에는 광주민주화운동에 담긴 광주 정신과 헌법정신이 우리 후손들에게 잘 이어질 수 있도록 노력해야 함을 깨닫게 합니다.

저자는 자신의 결점마저도 때로는 뜻밖의 좋은 결과를 가져올 수 있는 행운을 얘기하며 건강한 첫걸음을 내딛기를 바라는 후배 공직자에게 민원인과의 갈등이 생겼을 때는 섣불리 해결책을 제시하기에 앞서 상대방의 말을 관심 어린 시선으로 들어주기를 부탁하며, 즐거운 마음으로 업무를 대할 때 주민들에게도 즐겁고 행복한 결과를 가져올 수 있다고 격려합니다.

세월 앞에서 삐걱거리기 시작하는 몸을 달래며, 지구 6바퀴의 거리를 출·퇴근했던 직장의 마침표를 코앞에 둔 저자는 후배 동료들에게 "잘 살려고 노력할 필요가 없다. 살다 보면 잘살게 되는 것이다"라고 말합니다. 저자 스스로가 항상 남을 먼저 배려하고 소속된 공동체 안에서 주어진 책임을 성실히 수행하다 보니 주위 사람들로부터 인정과 신뢰를 받게 되고 그에 대해 감사함이 다시 생활의 즐거움과 활력소가 되어 삶에 대한 넉넉한 마음을 갖게 되었듯이, 사랑하는 믿음직한 후배 동료들 또한 더 잘 살아낼 수 있는 역량을 충분히 가지고 있다는 것을 일깨워주는 듯합니다.

어떻게 살아야 할지를 고민하시는 분들께 오늘 이 잔잔하지만, 감동적인 러브레터를 전달합니다. 러브레터를 통하여 앞으로 펼쳐질 행복한 삶에 대한 희망과 자신감을 함께 가져가시길 권합니다.

2024년 봄의 문턱에서 김미숙

[첫 번째 러브레터]

새로운 8월입니다

(2020.8.7)

이 글의 모체가 된 첨단1동 행정복지센터

새로운 8월입니다

개인적으로 의미 있고 또한 좋은, 그렇지만 조금은 바쁜 7월이었습니다. 7월 초에 덮친 코로나는 고무줄 같은 긴장감을 주고 여전히 녹록지 않은 민원인과 주민의 요구는 고무줄을 더욱 팽팽하게 만들어 혹시나 끊어지지 않을까 하는 우려도 있었습니다. 하반기 인사로 저랑 짧게나마 함께 근무하셨던 팀장님과 직원분들이 타 부서로 가시고 새로운 분으로 채워졌습니다. 동 근무가 여전히 낯선 저로서는 여간 걱정이 되었지만 새로 오신 분들의 신선한 매력으로 더욱 단단한 가족이 되었습니다.

가치를 공유하고 마음이 따뜻한 동행으로 한 달 동안 잘~ 지냈습니다. 해는 동쪽에서 뜨고 서쪽으로 진다는 당연함과 세상은 아름답다는 진리는 일상이 행복이라는 걸 다시금 느끼게 해 줍니다. 여러 어려움 속에서도 7월은 함께여서 더욱 좋았습니다. 행복한 마음을 담아 모든 것에 감사드립니다.

새로운 8월입니다. 예측되는 어려움도 있지만, 그렇지 못한 어려움도 찾아올 것입니다. 뒤처진 일은 쌓이고 업무는 계속됩니다. 그렇게 모두가 지금보다 더 힘들 것입니다. 폭염이 올 것이고 후텁지근한 날씨는 우리를 짜증 나고 힘들게 하겠지만 우리 모두 힘내요. 꿀꿀한 마음을 달래려고 생각하니 소주 한잔하고 싶습니다. 그렇더라도 코로나 사태로 모이기도 어렵습니다. 일과 후에 내 맘대로 술잔 기울이기도 힘듭니다. 뭘 하고 싶어도 눈치를 봐야 하는 공직자의 입장에서 보면 에이~하는 생각이 듭니다. 그러나 가만히 생각해 보면 항상 시민과 여론의 눈치를 봐야 하는 이와 같은 상황은 강도의 차이만 있을 뿐이지 우리의 신분이 유지되는 한 계속되는 것 같습니다. 어떻게 보면 이러한 어려움을 감내하고자 하는 것이 공직자이고 이러한 어려움이 어쩌면 공직자라는 신분을 감싸주고 있다는 생각을 아주 짧게 해봤습니다.

8월 한 달도 7월처럼 우리 모두 행복했으면 좋겠습니다. 즐거운 주말이 되시길 바라고 좋은 휴가 계획 세우시기 바랍니다.

[두 번째 러브레터]

'러브레터'의 시작

(2020.9.3)

'러브레터'의 시작'

직원분들의 격려(?)에 힘입어 이 글을 '러브레터'라 하고 조심스럽게 두 번째로 인사드립니다. 다시, 새로운 9월입니다. 잠시나마 잊고 싶었던 한 달이었습니다. 기나긴 장마 속에 찾아온 집중호우로 도로가 잠겼네, 지하상가가 침수됐네 여기저기서 아우성이고, 이 와중에 역대급 태풍이 온다 해서 잔뜩 긴장하였습니다. 오랫동안 준비하고 대면으로 치러졌던 주민총회는 다행히 잘 치러냈지만, 이후에 혹시나 코로나 확진자가 발생해 태풍보다 무서운 코로나 폭풍에 말려들지 않을까 노심초사했습니다.

코로나 상황 속에 개최된 첨단1동 제1회 주민총회

여름의 폭염은 지속적이고 밖으로 눈을 돌려보면 8·15 광화문 집회로 사람 만나기가 두렵고, 정부의 의대 정원 확대 방침에 의사단체에서는 의료의 질을 앞세워 반대하고 있습니다. 이와 같은 상황이 모두 진행형이라 언제 끝날지도 모릅니다. 올해는 8월의 잔인함이 5월보다 더 합니다.

코로나 팬데믹이 주는 요즘의 상황은 미래를 예측할 수 없게 만듭니다. 마치 행정복지센터 일을 보고 나가는 민원인 지혜씨가 커피를 마시기 위해 왼쪽에 있는 스타벅스로 갈지 오른쪽에 있는 벌크 커피로 갈지를 맞히는 것과 같고, 잔뜩 구름 낀 아침에 버스로 출근하는 인수가 기상정보를 100% 신뢰하여 우산 없이 출근하는 마음이고, 초등학생 안미가 갈림길에서 평소 다니지 않던 우측길을 이용하여 학원에 가고, 승봉, 선진, 상석 셋이 퇴근 후 술을 먹는다는 소문이 있는데 저번처럼 나를 안 불러줄 것인지 그리고 안주는 참치 또는 삼겹살 무엇을 먹을지를 맞히는 것과는 비교 자체를 할 수 없게 만드는 게 지금의 현실입니다.

매스컴에서 코로나 전문가가 코로나 발생 및 대책에 관한 질문을 받자 이렇게 반문합니다. "누구든 올해 코로나가 발생할 것이라 예측하였나요? 또 그 강도가 이렇게 컸으리라고 지나가는 말로라도 이야기했던가요" 그만큼 어렵다는 겁니다. 참 맞는 말이라고 생각했습니다. 예측할 수 없었고 미래도 예측할 수 없는 지금 우리의 상황과 딱 맞는 표현입니다. 문득 어떤 생각을 하고, 어떻게 살아가야 한다는 것은 무의미하고 '오늘 하루도 무사히'라는 택시 내부에 표기된 문구가 앞을 내다보고 만든 것이었구나 하는 생각을 해봤습니다.

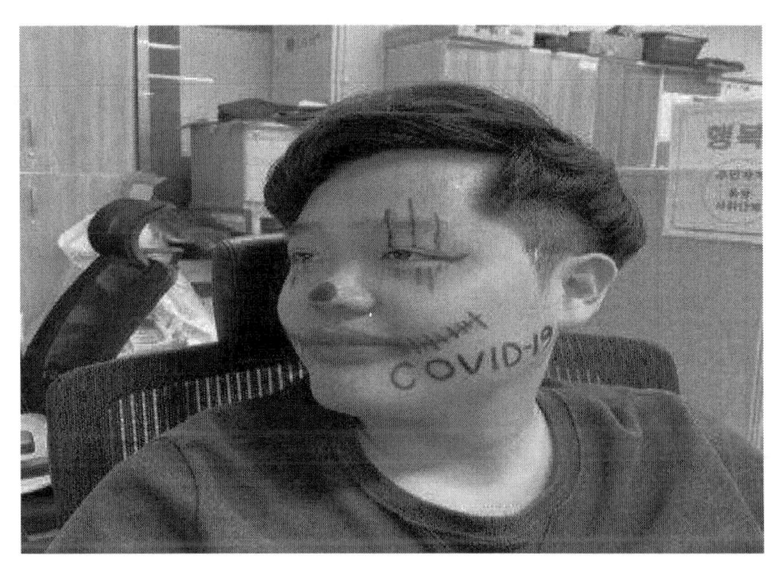

코로나 극복을 위한 직원 및 마을주민 캠페인

이렇듯 예측할 수 없는 상태에 행정의 피대상자인 주민들의 마음 또한 안개 속이라 헤집기 어렵고 도통 어떤 일을 해야 그들을 웃게 할 수 있을까? 아니면 긁어 부스럼 만들지 말고 가만히 있는 게 좋을까? 하는 쓸데없는 걱정이 이만저만입니다.

어르신 대상 코로나 예방 접종

모든 사람이 좋아하는 게 있다. 여행이다. 여행이 즐거운 것은 익명성이라고 하지만 나는 기대감과 호기심이 첫 번째다. 내가 직접 걷고 보고 다다른 그곳에 무엇이 있을지가 궁금하고 나에게 어떤 감흥을 줄지가 나를 설레게 한다. 이곳에서 보이는 곳은 멀리 떨어진 언덕이지만 언덕 너머에는 녹색의 초원이 펼쳐질지 낭떠러지를 밝고 넓고 푸른 바다를 볼 수 있을지 돈도 빌려주고 술도 사주던 예전의 친구 상훈, 경훈이를 볼 수 있을지 아니면 속없이 책가방 메고 학교 다닐 때 그냥 좋았던 시정, 현진이 양팔 벌려 반겨줄지 그게 사실이 아니더라도 생각만으로도 기분이 좋아진다. 그래서 나는 OVER(너머)라는 단어가 좋다. 예측할 수 없어 그렇다.

시대를 시간적으로 과거, 현재, 미래로 나눈다. 어떤 사람은 과거가, 어떤 사람은 현재와 미래가 중요하다고 하지만, 나는 현재가 가장 중요하다고 생각합니다. 그 자체가 모두 나와 관계되어 있지만 현재에 충실하면 과거가 디딤돌이었다는 사실을 알게 되고, 어두운 밤길에 촛불 하나 놓인 낭만과 안도감을 느끼게 하는 미래를 기대할 수 있지 않을까요? 이러한 사유로 현재에 가치를 더 주기는 하지만 무엇보다 지나온 발자취에 자신이 없고 앞을 내다보는 일에는 더욱더 그러하다는 게 제 솔직한 마음입니다.

주어진 일을 하다 보면 민원인 및 주민과의 사이가 조금 어색하거나 잘못되었다고 하는 일에 대해 스스로 채찍질할 때가 있습니다. 차마 드러내놓고 말하기는 자존심이 상하고, 말했다 하더라도 상대방이 이해해 주었을까 하는 생각도 듭니다만 이런 것은 내가 가진 생각의 기우이고 지금에 충실한 것이 나와 상대에 대한 배려가 아닐까 합니다. 진실은 나도 모르고 상대도 모르고 오직 진실 그 자체니까요.

9월 한 달도 모두 잘~보냈으면 좋겠습니다. 지금처럼 미래가 불확실한 상황에 있어서는 거창하고 꼼꼼하게 한 달의 계획을 세우는 것보다는 아침에 출근하면 오늘 하루가 어제와 같기를 바라고 퇴근 시에는 그것에 감사하는 우리가 되었으면 합니다. '식사를 준비하고 집을 청소하고 빨래를 하는 일상적 노동을 무시하고서는 훌륭한 삶을 살 수 없다'라고 누군가 말했습니다. 일상에서 행복을 느낍니다.

'현재(present)'는 '선물(present)'입니다.
카르페 디엠(carpe diem)!!!

[세 번째 러브레터]

밥과 가족

(2020.10.5)

밥과 가족

9월 한 달 어땠나요? 저는 여러분 덕택에 잘 지냈지만 사회적 거리 두기 2.5단계로 행동에 제약이 많았습니다. 더위는 물러갔으나 여전히 비는 추적거려 마음이 싱숭생숭했고 일은 더함에 더함을 더해 해 놓은 일을 헤집어 보니 공중에 대고 주먹을 휘두르는 듯 아무것도 남아있지 않은 상태이고, 어쩐지 몸은 힘들고 반나절도 못 마쳤는데 어느덧 점심 식사시간인 경우가 태반이었습니다.

바쁜 일과 중에 함께한 첨단1동 직원들의 행복한 모습

오늘도 점심은 2개 조로 나누어 해결합니다. SJ가 예약한 우리만의 구내식당에서 젓가락을 들어 이것저것 집어 입에 밀어 넣고 숟가락으로 국물을 담습니다. 매번 이런 식의 때움이지만, 중요한 의미를 담고 있습니다.

밥은 생명을 유지하는 한 끼니의 단순함을 넘어섭니다. 우리의 몸과 영혼은 5천 년 전 선조의 DNA라는 끈으로 이어지고 있고 그중에서도 전염력이 가장 강한 매개체는 밥이기 때문입니다. 따듯하고 고슬고슬하고 윤기 흐르는 하얀 밥알 위에 김이 모락거리고 그것의 따스함이 손끝에 전해지고 입으로 전해지면 그 행복감은 이미 표현의 단계를 넘어섭니다.

그리고 식사에는 대화가 필요합니다. 코로나 시기에는 말하는 것을 자제하라고 하지만 식사할 때 눈짓으로 말하면 눈칫밥이요, 행동이 없으면 목에 걸리는 거북스러운 밥이 됩니다. 대화 없는 음식은 맛도 없지만 기(氣)가 통하지 않습니다. 그래서 밥으로 얻고자 하는 건강을 지켜내기 힘듭니다. 공동체를 움직이는 가장 중요한 것은 음식 나눔이라 할 수 있습니다. 이 나눔을 통하여 추구하는 방향, 가치가 같음을 항상 확인합니다. 조직 구성원마다 생각하는 바가 다르고 하는 일이 다르니 당연히 추구하는 바도 다르겠지만 같이 식사하는 의식을 통하여 하나가 되었으면 합니다. 이런 이유로 모두가 함께하는 식사 시간이 조금 더 특별하고 의미 있는 시간으로 다가옵니다.

추석이 낼모레입니다. 코로나로 인하여 가급적 만나는 것을 지양해야 하겠지만 어찌 되었든 평소에 소원했던 가족, 친지, 친구, 선후배, 동창 등을 만날 가능성은 높겠지요! 이들과의 관계를 잇게 해줄 가장 큰 매체는 밥이고 여기에는 대화가 필요합니다. 이들과 함께한 식사는 서로가 서로에게 아무것을 주지 않아도 일의 쓸모에 아무런 필요가 없다 할지라도 그 존재만으로 소중한 관계임을 확인하는 귀중한 기회가 될 것입니다.

여기에 좋은 대화는 관계의 끈을 더욱 굳건하게 할 것입니다. 대화 시에 염려되는 일이 있습니다. 주민, 직원과 이야기할 때도 마찬가지입니다. 상대방과 이야기할 때 대화 내용, 시기, 대상 등 주의할 점이 여러 가지 있습니다. 경험적으로 저도 그러한 것을 놓쳐 말해놓고 후회할 때가 있었습니다. 개인마다 다르니 큰 틀에서 생각해 주시기 바랍니다.

저는 대화 시에 가급적이면 친구를 제외한 누구에게나 어정쩡한 경어를 즐겨 사용하는 편입니다. 관계 유지에 자신이 없기 때문입니다. 후배에게 반말하다 보면 자연스럽게 가르치고 하대하려 들고 시키려 들고 지시하려고 하는 나쁜 습성이 경계 되어서입니다. 경어를 사용하게 되면 아무래도 이러한 우(愚)를 범하는 것을 막을 수 있다는 게 제 생각입니다. 아내나 자녀에게 반말하다 보면 경계심이 풀어져 사소한 오해로 투닥거리는 것에서 교훈을 삼는 걸 보면 최소한 저에게는 이 말이 맞긴 하나 봅니다. 말은 주워 담을 수 없습니다. 조금 더 생각하고 정리해서 말하면 좋겠습니다. 어찌 되었든 추석에는 밥 한 끼로 가족의 소중함을 느껴보는 좋은 시간 되시길 빌어봅니다. 우리는 모두 한 가족입니다. 사랑합니다.

[네 번째 러브레터]

어디에도 시어머니는 있다

(2020.10.30)

어디에도 시어머니는 있다

한 달 전 추석입니다. 이제는 어머니가 추석 음식을 만드는 걸 힘들어하셔서 집에서 상차림을 준비하게 되었습니다. 예년 같으면 없던 약속도 만들어 밖으로 나갈 거지만 이제는 눈치껏 살아야 하는 지혜를 터득한 나이라 음식 준비하는 일에 동참했습니다. 추석 전날 아내와 같이 말바우시장에 가서 과일과 생선, 전거리를 사고 시장 한 바퀴를 헤집고 나서 출출한 배를 달래기 위하여 팥죽도 한 그릇 먹었습니다.

제가 어릴 적에는 한 집안에 형제가 3~4명은 기본이고, 5명 이상도 많았습니다. 그러나 나는 남동생만 한 명이고 그마저도 타지에 살아 얼굴 마주할 기회도 많지 않습니다. 게다가 올해는 이미 다녀갔고 명절에 띄엄띄엄이라도 찾아오던 친척도 코로나로 못 온다는 말을 시원스럽게 내뱉은 터라 준비할 음식은 그렇게 많지 않았지만, 기본적으로 상에 놓는 음식의 가짓수는 같아 하는 일은 녹록지 않았습니다.

전을 부칩니다. 거실 바닥에 신문지를 여기저기 깔고 프라이팬과 식용유를 준비하고 시장에서 갓 사 온 고기와 달걀을 풀어 손이 잘 닿는 한쪽에 놓아두고 본격적인 작업(?)을 시작했습니다. 프라이팬에 전기가 들어가고 숫자를 2에 맞추자 금세 뜨거워졌습니다. 이제는 식용유를 붓고 고기를 달걀에 묻혀 프라이팬에 두르니 지익~하는 소리음이 들리고 기름에 튀긴 후 한 번 뒤집고 나니 잠시 후 전이 완성됩니다. 이런 식으로 생선도 굽고 잡채도 만들고 나물도 무치고 나름 여러 가지 음식을 만들었습니다. 맛있었습니다.

그런데 이 과정에 빠질 수 없는 양념이 있습니다. 바로 아내의 잔소리입니다. 프라이팬이 뜨거워진 후에 식용유를 부어라, 신문지는 거실 안 더러워지게 여기저기 깔아라, 일하는데 거추장스럽지 않게 물건을 정리해서 놓아라, 고기는 한번 굽고 키친타월로 깨끗하게 닦아라, 만들어진 전은 겹쳐놓지 마라, 먼저 먹지 마라, 칼은 생선 썰고 고기 썰려면 다시 씻어라 등. 슬슬 짜증이 올라왔습니다. 그래서 이렇게 말했습니다. "니는 처음부터 잘했냐!" 잔소리 좀 그만해라. 올챙이 적 생각 못 하네"하고 버럭 했습니다. 그런데요, 나도 듣고 보고 나름 지혜가 있는 사람이라 속으로만 우레처럼 고함을 쳤습니다. 아내의 얼굴에서 내가 알지 못하는 시어머니 모습이 언뜻 비칩니다. 그래도 그 잔소리 덕택에 정성스럽고 맛있는 음식이 만들어집니다.

10월 한 달도 다 지나갑니다. 여느 달 못지않게 많은 일들이 있었고, 내일 구민의 날 행사도 기다리고 있습니다. 채 쉬기도 전에 다른 일과 맞섭니다. 그럼에도 무사하게 한 달을 마칠 수 있음에 감사드립니다. 이 모두는 직원분 스스로 말하지 않았지만 채찍질하며 지내온 결과입니다. 그리고 가만히 생각해 보니 이러한 다행스러운 결과는 일을 하면서 나를 돌아보고 마음을 다잡고 다시 힘내고 하는 시어머니의 잔소리 같은 마음이었기 때문에 가능한 일이 아니었을까 싶습니다. 11월은 실질적으로 업무를 마무리해야 하는 달입니다. 제가 말하지 않아도, 말하지 않아서 더욱 잘하지만 그래도 욕심을 부려본다면 스스로 맡겨진 일에 대하여 돌아보시고 챙겨주시면 좋겠습니다.

우리 직원은 모두 13명입니다. 일도 같이하고 회식도 같이합니다. 같이 웃고 떠들고 공감하고 어려움을 같이 나누는 직원분의 숫자입니다. 언젠가 회식 자리에서 SB가 말했습니다. 보통 회식 자리에서 동장들이 말이 많은데 나는 별 얘기 없이 들어주어서 좋다고 했습니다. 듣는 순간 안도와 함께 기분이 좋았습니다. 내가 가만히 있는 것은 순발력도 없고 말발도 딸려서 그런 것인데 그렇게 생각해 주니 말입니다. 괜히 내가 고차원적인 생각이 있는 것처럼 보였다니 좋았고, 다듬지 않은 포장이어서 양심을 속일 필요가 없어 더욱 좋았고, 여기에 그냥 얻어진 조금의 우쭐함도 더해 봅니다. 또한 그것이 내가 어차피 잘하는 일이라 별다른 노력 없이 앞으로도 계속 잘할 수 있을 것 같아 더더욱 좋았습니다. 괜히 이런 말도

덧붙이고 싶습니다.

"지식이 있는 자는 말하려고 하고, 지혜가 있는 자는 듣고자 한다."

세상을 살다 보면 내 의지하고 상관없이 이런 좋은 일도 있습니다. 그래서 앞으로의 11월도 행복할 것입니다. 이런 행복 우리 함께 나누어요.

[다섯 번째 러브레터]

첫걸음이 중요합니다

(2020.11.5)

첫걸음이 중요합니다

요즘 여기저기가 아픕니다. 여태껏 한 번도 속 썩이지 않아 은근 자랑으로 여겼었지요. 내 몸을 지탱하며 직장으로 친구를 만나러, 밥 먹으러, 운동하러, 여기저기 잘도 돌아 다녀준 오른쪽 무릎이 달포 전부터는 회전하거나 앉았다 일어나거나 장기간 걸을 때 삐걱거리는 느낌이 들어 잔뜩 겁이 났습니다. 증상이 시작되자마자 병원에 가서 물리치료를 받고 파스도 덕지덕지 붙인 덕인지 생활하는 데는 큰 문제는 없지만 그래도 여전히 불편한 느낌에 신경이 곤두섭니다. 허리도 아픕니다. 허리는 약 3~4개월마다 한 번씩 문제를 일으키는데, 이제는 여러 번 경험했던 터라 고통의 시작점을 미리 알고 있습니다.

저번 주 금요일 아침, 허리를 굽혔다가 일으키는데 왼쪽 허리가 약간 엇갈리는 느낌을 받았습니다. 이때부터 약 2~3주 동안 눕거나 앉았다가 일어날 때 얼굴을 찌그러뜨리는 고통이 있음을 경험적으로 알고 있습니다. 그러나 다행스럽게도 이번 고통은 3일 만에 끝났습니다. 어쨌든 이렇게 몸이 아프면 나만의 노하우가 생겨

납니다. 의자에 앉았다 일어나기 전 앞 배를 약간 내밀어 허리에 힘이 들어가게 하고 가슴을 내밀어 주는 자세를 5초 정도 유지하면 별다른 고통 없이 일어설 수 있습니다. 걸을 때는 아픈 오른쪽 다리를 먼저 내디디면 불편한 느낌이 있어 왼쪽 다리부터 먼저 걸음을 시작하면 걷는 동안 편안하고, 목적지에 도착한 후에도 왼쪽 다리를 마지막에 내디디면 이상하게도 아프지 않게 걸음을 마칠 수 있습니다. 아프고 나니 얻어지는 나만의 자연스러운 지혜입니다.

월초에 SG가 발령받아 같이 근무하게 되었습니다. 그가 얼마나 많은 시간의 가슴을 졸인 후에야 우리와 함께하게 되었는지를 생각해 보면 서로에게 참으로 감사하고 행복한 일입니다. 그런 그에게 나는 또 우리 직원은 어떠한 소망을 SG에게 주어야 할까요?

신규직원과 함께한 즐거운 시간

모든 공무원은 임용과 함께 '공무원 선서'를 합니다. 처음에 나오고 가장 중요한 '헌법을 준수' 한다는 의미는 대한민국이 민주공화국 체제이고 주권과 모든 권력은 국민으로부터 나온다는 사실을 인정한다는 겁니다. 그러나 나는 공직 생활을 하면서 범했던 오류가 있었음을 고백합니다. 업무를 하는데 나와 공무원 조직이 중심이 되어야 일의 과정이 편하고 우쭐하게 되고 자긍심을 느낍니다. 그래서 많은 사람들이 다양한 의견을 내는 것을 싫어하고 반대 의견은 묵살하게 됩니다. 마치 경찰관이 조사할 때 윽박지르고 스스로 사건을 만들어 나가고 책상을 탁하고 때리니 윽하고 쓰러졌다는 개소리도 만들어지고 검사와 판사의 예리한 칼끝은 범죄자에게 향하는 것이 아니라 스스로 보호받기를 바라면서 권력자의 입맛에 맞춰 나간 사실을 우리는 과거사를 통해서 알고 있습니다.

새롭게 시작하는 그에게 좀 무거운 비유이기는 하지만 '모든 권력은 국민으로부터 나왔다'는 사실을 감추어둔 채 강제적으로 빼앗은 권력을 스스로를 위해 썼던 그들과 함께하고 싶지 않았다는 그 소망을, 법령에서 위임된 권력이 주민에게 향하면 좋겠다는 그 소망을 SG에게 주고 싶음을 침잠(沈潛)하게 됩니다.

무릎이 아프니 첫걸음은 아프지 않은 발부터 내디뎌야 아프지 않다는 내 경험을 얘기했습니다. 이 중요한 경험을 이제 막 기나긴 공직 생활을 시작하는 후배에게 전하고 싶습니다. 시민의 귀가 되고 발이 되어 오롯이 그들의 편에 서고자 스스로 선택한 첫걸음이 건강한 첫걸음이기를 바랍니다. 건강한 첫걸음이 '시작이 반이다'라는 말에 응용되는 것이지, 아프고 병든 첫걸음은 '작심삼일'입니다. 병든 첫걸음은 주민을 외면한 것이요, 의지가 약함이요, 굳건함이 덜하기 때문에 오래갈 수 없습니다. 건강한 첫걸음이 당차서 지축을 울릴 것이고 중간에 포기하고자 하는 마음을 되돌릴 것입니다. 먼 훗날 마지막 발걸음도 조용하고 단호한 건강한 발걸음으로 마무리하기를 우리 첨단1동 가족 모두 진심으로 바랍니다.

이로써 나는 오늘 또 하나를 배우게 됩니다. 공동체의 새로운 1인을 맞이함으로써 내가 조직의 구성원임을 다시 인식하게 되었고, 그를 통해서 초심을 기억하고 좋은 공동체를 만들어가야지 하고 다짐합니다. SG를 통해서 '아~나도 필요한 사람이었구나'를 생각합니다.

코로나 상황이 갈수록 심각합니다. 예측할 수 없는 시간이 계속되고 어떻게 대처해야 할지 누구도 잘 모릅니다. 예방이 최선입니다. 마스크 잘 씁시다. 그리고 요즘 우리 동의 북구 편입 건으로 분위기가 어수선하지만, 주민만 보고 가면 아무런 문제 없을 듯합니다.

[여섯 번째 러브레터]

고통

(2021.1.5)

고통

카르투시오 수도회가 있습니다. 우리나라에는 경북 상주에 있습니다. 얼마 전 성탄절을 앞두고 방송에서 소개되었습니다. 이 수도회는 봉쇄수도원입니다. 잘 알지는 못하지만, 봉쇄수도원은 일반적인 수도원과는 다르게 봉쇄라는 말 그대로 밖의 생활과는 단절되어 수도원 내에서만 생활하며 죽어서도 수도원 밖으로 나오지 못하는 것으로 알려져 있습니다. TV에서 보면 다양한 국적의 수도자들이 각자 한 평 남짓한 방에서 하느님께 기도하고 침묵으로 일관합니다. 모든 것은 자급자족하며, 식사는 거친 밥과 물 한 모금으로 버티는 경우가 다반사이고, 옷은 해지고 양말엔 구멍이 송송 뚫려 있었습니다. 무지한 나의 눈으로 모든 것이 힘들고 고통으로 다가옵니다. 저는 이들의 삶에서 우리 구정의 핵심 가치인 행복을 생각합니다.

사람은 누구나 행복하기를 원합니다. '삶의 목적은 행복이다'라는 아리스토텔레스의 말을 곱씹지 않아도 사람들은 사는 모양과 방법, 생각은 다르더라도 행복하기 위해서 산다는 것에 의심을 품지 않습니다. 부를 얻고자 부동산에 기웃거리고 투자하는 것도, 권력을 가지고자 하는 것도, 타인을 위해 희생하는 것도, 공동체를 위하여 신념을 펼치는 것도, 땅을 파서 먹고사는 것도, 좋은 직장을 얻고자 하는 것도, 아침에 향기 좋은 커피 한 잔을 마시는 것도, 식사 후에 담배를 무는 것도, 노부모를 걱정하는 것도, 아이들의 공부가 애타는 것도 잘 살고 행복을 위한 것입니다. 행복의 반대되는 말을 굳이 찾고자 한다면 '고통'일 것입니다. 고통받기를 원하는 사람은 아무도 없을 것이기 때문입니다. 고통은 나를 아프게 하고 병들게 하고 인간이 살기 좋도록 자연스럽게 돌아가는 수레바퀴의 관성을 무너뜨리는 행위입니다.

우리는 오늘도 원치 않는 고통을 안고 살아갑니다. 사소한 말이나 의도치 않은 행동으로 인한 아픔, 민원인의 거친 말과 비웃음의 아픔, 거리에 침을 뱉어내는 학생의 뒤통수가 밉고, 오늘의 코로나 환자를 집계하는 걱정스러운 마음, 자기만이 옳다고 짖어대는 정치인이 화면에서 사라졌으면 하는 어설픈 기대, 집 앞 눈은 치우지 않고 미끄럽다고 투덜대는 아줌마의 삐죽거리는 입에 마스크를 씌우고 싶습니다. 생각해 보면 모두가 고통입니다. 이렇게 살아서는 행복을 좇아가다 품어보지 못하고 죽겠다는 생각이 들었습니다.

어느 가톨릭 신부는 말합니다. '인간은 고통에 대한 선택이 없다.' 일상의 고통을 선택하느냐 하느님의 고통을 선택하느냐만 선택할 수 있다'라고 했습니다. 우리가 고통이라 생각하는 카르투시오 수도자들의 모습, 또 우리들의 일상적 생활의 고통이 어쩌면 행복에 가장 가까운 모습이 아닌가 하는, 나 자신도 이해하기 어려운 역설적 생각을 해 봤습니다. 고통이 행복과 한 울타리라고 생각하니 세상을 살아가는 일이 아찔합니다. 그래도 우리 모두 하루 하루 행복했으면 좋겠습니다.

스타벅스의 인기가 날로 높아져 주변 상권과 시세까지 바꿔놓고 스타벅스권 아파트도 생겨납니다. 책 표지에 스타벅스 로고가 있어 선택했습니다. '그라운드 업'이라는 책이고 저자는 스타벅스 CEO 였던 '하워드 슐츠'입니다. 생각과는 달리 별 내용은 없었습니다. 책 두께도 다른 책의 두 배 정도인 600페이지 가까이 되나 내용은 단순합니다. 그는 어릴 적 작은 임대아파트에서 외할머니, 부모님, 동생 2명과 함께 살았고, 밤이면 이곳에서 도박판, 술판이 벌어지고 이러한 대가로 가정의 생계가 이루어졌으나 이런 어린 시절의 결핍과 욕구가 다른 세상으로 나아가는 추진력이 되었다고 합니다.

스타벅스를 운영하던 때에는 기업의 가치를 실현하기 위하여 제대군인, 흑인 등 사회적 약자를 위한 일자리를 마련하였고, 이 모든 것의 바탕에는 조국인 미국을 정말 사랑하고 있다는 의미로 해석하기도 했습니다. 어느 부분에서는 책의 내용이 애국 판타지 소설쯤으로 느껴지기도 했습니다. 어찌 되었든 저자는 우리가 어린 시절 읽던 여느 이솝우화처럼 어려운 상황에서 노력하면 고통을 극복하고 잘 살 수 있다는 극단적인 교육적 내용이 군데군데 있었던 것으로 기억합니다. 이렇듯 삶에는 반드시 고통이 따르고, 그 곁에는 또 반드시 행복이 있다는 것을 수도자의 삶이나 스타벅스 CEO에게서 얻어냅니다. 일상의 삶이 고통이니 행복도 이만치입니다. 행복했으면 좋겠습니다.

제가 첨단1동에 근무한 지도 1년이 다 되어 갑니다. 중간에 교육으로 자리를 비우고 코로나로 많은 공백이 있었지만, 1년이라는 시간은 훌쩍 지나갔습니다. 누구와 마찬가지로 '이전보다 더 열심히 해야지'라는 마음 다짐도 했고 마을의 발전적 방안도 찾아보고자 하는 의지도 있었습니다. 이러한 열망은 교육으로 지피어졌으나 코로나로 한풀 꺾였습니다. 교육이 한창이던 2월에 광산구에 최초로 코로나 확진자가 발생하였고, 교육 일정이 바뀌고 결국엔 교육이 중단되었습니다. 동으로 복귀하니 아무것도 알지 못한 상태에서 코로나가 겹쳤습니다. 그렇게 시간은 지나가기를 반복하여 여기까지 왔습니다. 일에 대한 욕심을 채우지 못한 것은 여전히 아쉽지만, 좋은 직원분들과 이러한 고통을 함께 다독이며 또 함께 건강하게 2020년을 마무리할 수 있었습니다. 감사합니다. 앞으로도 모두 편안한 마음으로 함께 할 수 있기를 바랍니다.

[일곱 번째 러브레터]

넉넉함

(2021.2.3)

넉넉함

직장생활에서의 즐거움과 힘듦은 여러 가지가 있습니다. 그중에서도 그 두 가지를 한꺼번에 '와락'이라는 느낌으로 받아들이는 것은 인사(人事)일 듯싶습니다. 여기를 떠나 보이지 않는 저 너머로 가라는 동적 이동을 뜻하는 근무지 변경입니다. 내가 설 자리가 달라지고 마주하는 사람이 다르고 손에 쥐는 연장이 달라집니다. 혹은 '잘~해낼 수 있을까'하는 불안감도 있습니다. 한자로 풀면 '사람의 일'이라 하여 마땅히 그래야만 하는 당위성이 부여되고, 이렇게 되면 인사가 있어야만 세상이라는 배가 삶의 목적지를 향해 순항한다는 의미를 담고 있어 필연적으로 여겨집니다.

인연(因緣)이라는 말은 이럴 때 쓰는 것 같습니다. 사람 간의 만남을 인연이라는 말에 비유하여 자주 사용합니다. 만나지 못하고 관계를 맺지 못하더라도 옷깃만 스쳐도 인연이라 하여 굳이 관계성을 인정하게끔 합니다. 인연 중에 가장 정점은 부부간의 인연인 듯합니다. '달덩이만 한 쇳덩이를 몇 년 만에 한 번씩 오는 참새가 콕콕 찍어 다 닳아질 때 만날 수 있는 것'이 부부의 인연이라고 합니다. 부부의 인연을 통하여 '가족'이 이루어지고, 이것을 바탕으로 사회 공동체가 만들어집니다. 이번 인사로 우리는 한 가족이 되었습니다. 그렇게 소중한 인연이고 굴곡지고 어렵고 힘든 일을 같이 헤치고 나가야 하는 운명 공동체입니다.

새로운 가족이 된 우리들

2021년도 상반기 인사로 인해 안미 팀장님, 홍지혜님이 구청이라는 울타리로 들어가고 우리는 다른 새로운 가족을 맞았습니다. 가시는 두 분은 저에게도 참으로 소중한 분들입니다. 안미 팀장님은 같은 직렬이라 저하고는 적지 않은 만남이 있었고, 아직은 어리기만 한 아이를 키우느라 고생하는 등 공통점이 많았습니다. 홍지혜님은 첨단1동에 같이 들어와 저에게는 생소한 주민자치 업무를 좋은 느낌으로 다가서게 해 주었고, 그 열정과 무거운 책임감은 허술하기 짝이 없는 나의 틈을 메워주길 바라는 은근한 기대를 훨씬 넘어섰습니다.

두 분 모두 새롭게 주어진 앞날에 행복이 가득하길 바라고 시민을 마음에 새기는 후배 공직자로 남길 바랍니다. 새로 오신 두 분은 서먹해야 정상적이나 어쩐지 요즘 유행인 몸에 짝 달라붙는 안마의자가 생각나게 합니다.
그 이전부터 쭈욱 그 자리에 계셨던 것처럼 편안함을 느낍니다. 그 자리에서 행복을 찾길 바랍니다. 내가 즐거워야 주민이 즐겁고 행복합니다. 첨단1동 가족 모두가, 첨단1동 주민 모두가 행복하기를 바랍니다.

며칠 뒤면 설 명절입니다. 코로나로 이번 설도 저번 추석에 이어 고향 방문을 자제하고 가족이라도 5인 이상은 함께하지 말라는 참으로 반정서적인 정부의 발표가 있을 것 같습니다. 그만큼 상황이 위중하고 엄격합니다. 그래서일까요? 이번 설은 사람을 만나지 못한다 생각하니 지나온 시간에 대한 아득한 기억이 새록새록 합니다.

큰 도로 안쪽으로 두 번째 길을 따라 쭉 이어진 골목길 양쪽으로 들어선 집들과 그 먼 끝에 다 쓴 연탄을 모아놓은 집하장에서 윗동네 애들을 적으로 만들고 연탄을 방패 삼아 쌓아놓고 전쟁놀이 끝에 옷 버리고 깨진 연탄 먼지 뒤집어쓰고 엄마에게 맞은 시원한 등짝 스매싱, TV에서 이기는 축구 경기만 방송하던 때라 우리나라 축구가 세계 1위라는 믿음을 굳게 가지셨던, 이마에 주름이 깊게 패셨던 돌아가신 아버지의 가엽고 씁쓸한 모습, 새벽녘 부엌에서 달그락거리는 소리에 놀라는 우리를 두고 도둑이 들어와서 밥 먹고 있으니 그거라도 먹게 놔두라던 엄마의 숨죽인 목소리, 뙤약볕 여름 대나무 평상에 그늘을 제공하던 골목 초입의 버드나무와 거기에 살았던 허리 굽은 쐐기벌레의 간지럽고 톡 쏘는 아픔이 기억납니다.

추억이 깃들어있는 지금의 고향 동네 전경

가슴에 코 수건을 달았던 국민학교 입학식, 달팽이 과자를 커다란 봉지째 사 가지고 와서 조금씩 덜어 50원에 팔았던 사업 기질이 농후해서 지금은 슈퍼를 하고 있는지 궁금한 중학교 동창, 고 2때 내 앞·옆에 앉아 공부하였고 수학여행 때 우리 술값으로 사용할 줄도 모르고 선뜻 학급회비로 지출하였던 지금은 이름조차 생각나지 않은 여자 동창들, 고3 때 반 얘들을 기합 주고 소리치고 가끔은 때리기도 하여 힘들게 하였지만 지금은 1년에 1~2차례 모임을 가지며 술잔을 부딪치며 웃고 노래하는 우리의 자랑 유동재 담임 선생님, 고3 때 우리 반 반장으로 체대 나와 고향 모 대학 교수인 SM과 고향에서 지내는 친구들, 야구장에서 우연한 만남을 계기로 1달에 1번 모임을 이어 나가는 철이 없어 더 좋은 광주지역 동창들, 1~2살 더 위지만 고3 때 같은 반으로 강단 있고 기품 있는 인격을 보여주었으나 졸업 후 외항선 타다 친구가 된 술이 너무 좋았던지 알콜 중독으로 병원 신세 지다 진작에 머나먼 길로 갔다는 소문이 있는 DH형, 공부를 잘해 서울 유명 대학에 갔었던 SH형과 지금은 얼굴도 모르는 그의 동생 ST, 키도 크고 잘 생기고 공부도 꽤 잘해서 국회 공무원에 합격했지만, 공무원 월급 적다고 몇 년 만에 때려치우고 주식에 빠져 집안살림 다 날려먹고 지금은 울산에 시집 가있는 누나 집 상하방에 얹혀살고 있는 우리 동네 최고 부잣집 아들 후배 YJ, 나의 할머니 먼 친척으로 우리집에서 자취하면서 공부는 뒷전이고 맨날 멋만 부리고 놀러만 다니던 기억이 선명하고 아버지 전대 훔쳤다가 들켜 부모님은 미안하고 죽을죄를 지었다며 사정하는데 정작 본인은 시큰둥 했었던 SC형 등. 아리고 아프고 쓰린 기억 모두가 지금은 희미한 웃음으로 되짚어보는 회상 거리가 되었습니다.

재광 고교동창 모임

이와 같은 기억이 때때로 다른 느낌으로 다가오지만, 명절만 되면 그래도 마음이 괜히 넓어지고 나누어주고 싶은 마음이 듭니다. 그게 우리 모두의 자연스러운 마음 같습니다. 다가오는 설 명절은 그렇게 느꼈으면 합니다. 인사로 인하여 인적 구성은 달라졌지만 변하지 않은 것은 첨단1동이라는 가족공동체입니다.

인사 발령으로 다음의 만남을 기약한 두 분은 아래의 구독과 좋아요! 요령껏 눌러 주시면 계속적으로 러브레터 받아보실 수 있습니다. 다만, 시스템 정비는 언제가 될지 몰라요. 두 분 만나 정말 좋았어요.

[여덟 번째 러브레터]

선택과 집중

(2021.3.8)

선택과 집중

▸ 착하게 살자

요즘 단연 관심거리는 학폭이다. 국가대표이자 흥국생명 배구단 주축인 이재영·이다영 자매로 시작된 학폭은 배구, 야구, 축구, 트라이애슬론 등 운동선수, 가수, 배우를 가리지 않고 날마다 새로운 인물이 학폭 의혹에 휩싸이고 있고, 지금껏 쌓아놓은 명성과 보장된 미래는 멍에를 뒤집어쓴 채 물거품처럼 사라진다.

학폭 의혹은 오래전부터 있었다. 특히 몸을 많이 쓰는 운동선수들은 선·후배 간 위계질서를 유지하고 성적에 따라 상급학교에 진학한다는 미명 아래 행해지는 폭력에 대해 눈감아주는 미덕이 일찍부터 자리하고 있었다. 피해자는 언젠가는 가해자라는 신분 상승의 꿈을 가지고 꾹 참아내고 지내온 것을 우리는 알고 있다. 다만 아무도 밖으로 힘주어 말하지 않았을 뿐이다. 이러한 사실을 충분히 알고 있는 어른들은 자신의 아이들이 성실하고 법대로 살고자 하면 고지식하고 융통성이 없다고 나무라며 손해 본다고 하여 바른 길로 가는 것을 기어이 막았다. 그래서 착하게 살면 손해라는 진리의 명제가 만들어졌다.

상대방에게 폭력을 가한 자는 가장 약한 자다. 마음이 무너지고 타인과의 교류가 없어 관심을 받지 못한 자다. 그것을 폭력이라는 행위로 감추고자 한다. 그런 추악한 행위를 통해서 자신의 존재가치를 드러내고자 한다. 한가지 만을 지속적으로 행하는 자는 능력이 타인에 미치지 못한다. 그것밖에 할 수 있는 게 없다. 그래서 해왔던 폭력을 멈추지 못한다. 우리는 그러한 폭력에 단호하면서도 폭력을 행하는 자를 사회의 구성원으로 받아들이고자 하는 노력도 하여야 하는 의무감을 가져야 바른 세상을 만들어 갈 수 있다. 그래서 '정의'가 필요하다. 세상의 흐름에 순응하는 '착하게 산다'는 것은 나와 모두를 위하는 일이고 '정의'를 실현하는 것이다.

▸ 정의

'정의'는 해야 한다는 의무감도 있지만 그에 앞서 당연한 것이라는 타당성을 가진다. 쉽게 접하기 힘든 단어이지만 가장 자연스럽게 우리 곁에 있다. 보통은 대학의 교훈에서 많이 보았던 기억이 있어 왠지 좀 고차원적이어서 접근이 어렵다는 생각이 들기도 하고 고등학교의 배움을 기억해 보면 서양 철학사에서 알 듯 모를 듯 언뜻 보이기도 하였고, 최근에는 마이클 샌델의 '정의란 무엇인가'라는 책의 제목에서 얻어지는 의미가 강하다.

'정의'는 인간 본성과 관계있는 것으로 우리는 그것을 얻기 위한 희생을 역사적 사실을 통해서 알아 오고 있고 개인이나 사회, 국가가 추구하고자 하는 명분을 삼기에도 이것만큼 훌륭한 단어를 찾기는 쉽지 않다. 인류 탄생과 함께 있어 온 것이고 시간의 흐름과는 상관없이 그 본질은 하나다. 그러나 그 본질을 곡해하고 해석의 오류를 통해 인간의 존엄성이 훼손되어 온 사례도 있다. 전두환 정권은 '정의 사회 구현'을 앞세웠고, 당명도 '민주정의당'이었다. 그러나 좋은 단어로 조합된 민주정의당은 '민주'와 '정의'가 어떻게 왜곡될 수 있는지를 국민의 희생과 5·18을 통해 우리에게 보여주었다. 그러나 이러한 왜곡된 '정의'는 우리 인간이 가진 그대로 보이는 '착하게 산다'라는 것에서 충분히 원래로 돌아가는 것이 가능하다는 믿음 또한 가지고 있다.

▸ 선택과 집중

나는 개인적이긴 하나 무의식적으로 싫어하는 단어가 있다. '선택과 집중'이다. 우리는 이 단어를 너무나도 많이 듣고 있다. 일의 순서를 정할 때는 당연히 그래야 하는 것으로 알고 있다. 정부나 구정 업무보고 시 장(長)의 훈시에서도 들었고, 여러 가지 바쁜 일 중에서 시급성과 중요성에서 앞선다고 생각되는 일을 선택할 때 이 단어를 습관적으로 앞에 두어 사용해 왔다.

한 세대 이전으로 시간을 돌려보자. 그 시대에는 참 많이도 아이를 낳았다. 한 집에 5명은 적은 축에 속하고, 10명 가까이 되는 집이 한 동네에 여기저기다. 살림은 부족하고 먹거리 구하기도 힘들었다. 먹는 것은 그럭저럭 때웠지만 농사짓느라 피, 땀 흘리는 현실을 비관하면서도 내 아이들은 그렇게 되지 않기를 바라는 마음으로 이를 악물고 버티고 버텼다. 그러면서도 한편으로 지금의 고된 단계를 뛰어넘는 잘 살고자 하는 원대한 꿈을 꾸었는데, 그것을 자식들의 교육으로 해결하고자 하는 게 보통 사람들의 생각이었다.

그러나 부모들은 10명이나 되는 아이들을 다 학교에 보낼 수 없었다. 대표 주자가 필요했다. 당연히 장남이 선택되었고, 잘났던 못났던 딸들은 장남의 교육비 마련을 위해 초·중학교를 마치면 서울 등 대도시 공장으로 돈 벌러 나갔고, 차남은 형편에 맞게 상급학교에 진학하거나 알아서 집을 나서는 것이 당연시됐다. 집안의 대표 주자로 선택된 장남이 번듯한 직장을 구하거나 고시에 패스하면 그 집안은 떵떵거렸고 그렇게 해서 대표 주자를 위하여 희생되었던 가족들이 보상받는 반면, 대표 주자의 결과가 좋지 못하면 집안은 초상집이 되어 말대꾸 한 번 하는 것도 주눅 들어 했다. 그러나 어느 시대이건 이러한 대표 주자는 애초에 존재하여서도 안 되고 부존재(不存在)에 의심을 가져도 안 된다. 장남이든 차남이든 아들이든 딸이든 자신의 적성과 능력에 맞게 배움의 길을 트는 게 인간의 본성으로 돌아가는 것이다. 그것이 애초에 인간이 출생과 함께 가진 본성으로 돌아가는 '착하게 산다'라는 것이다.

우리 사무실에는 20여 명의 직원들이 근무하고 있습니다. 모두가 다른 모습이고 다른 환경에서 자랐고 겉으론 비슷하지만 생각은 제각각이죠. 나는 누구든 그 모두를 있는 그대로 받아들이려고 항상 새로운 다짐을 합니다. 어느 누가 선택된 대표 주자가 아니고 선택받지 못한 딸이 아님을 받아들입니다. 함께하고 있는 이 시간이 그저 기쁨입니다.

▸ 확신

미얀마 사태가 걷잡을 수 없습니다. 쿠데타를 일으킨 군부에서 우리의 과거가 그려집니다. 그래서 미얀마 국민들에 대해 안쓰러움을 넘어서는 동질감을 느낍니다. 앞으로 어떻게 될지는 모르겠습니다. 그러나 우리의 경험으로 보면 원치는 않았지만, 이러한 과정을 거쳐 절대 지지 않는 민주주의의 꽃이 핌을 알고 있습니다.

시위 도중 한 소녀가 총에 맞아 죽었습니다. 그 소녀의 죽음은 우리에게 많은 것을 남겨줍니다. 당시 그녀가 입고 있었던 검정 티셔츠에 하얀 글씨로 새겨진 영어 문구처럼, 미얀마와 세상은 그렇게 흘러갈 것이고 우리의 일도 그럴 것이라는 기대입니다.

'EVERYTHINGS WILL BE.'

EVERY
THING
WILL BE
OK

[아홉 번째 러브레터]

'死(죽음)'의 단상(斷想)

(2021.4.27)

‘死(죽음)’의 단상(斷想)

·이번 ‘러브레터’는 지난 저의 장인(丈人)상의 위로에 대한 감사의 글로 갈음합니다.

4월의 봄볕은 참 따뜻합니다. 주변에 모든 것이 생기가 넘치고, 그것이 힘을 모아 여기저기에 하얗고 노란 색색의 꽃을 피워 냅니다. 그러나 4월을 잔인한 달이라고 합니다. 민주화의 과정에서 희생당한 자들의 넋이 떨어지는 잎사귀 위의 붉은 핏빛을 생각나게 하고, 불과 7년 전 우리들의 잘못으로 세월호의 어린 학생들이 배가 가라앉는 순간에 느꼈을 공포와 남은 자들이 가지는 미안함과 죄스러움을 생각하면 차라리 고통스러운 나날이 더욱 편할지도 모릅니다. 더욱이 광주에서는 이러한 아픔이 5월로 이어지니 어쩌면 ‘인간의 삶은 고통의 연속이다’라는 범인(凡人)들의 말에 공감이 되기도 합니다.

▸ 누구나 생각해 보는 죽음

모든 만물은 탄생, 성장, 소멸의 과정을 거칩니다. 이러한 불변의 원칙에는 인간도 예외가 될 수 없습니다. 그래서 어느 순간 인간은 죽는다는 것을 비교적 쉽게 받아들이고 그 죽음이 모든 인간에게 찾아오니 가장 평등한 것이라고 합니다. 재능을 많이 가진 자, 돈이 많은 자, 남들보다 꾀를 잘 부리는 자, 능력이 좋은 자, 요령껏 잘 살아온 자, 죽고 죽도록 일만 하는 노예, 세상의 주류에 속하지 못한 유색인종, 재수가 없어 뭘 해도 안 되는 자. 먹고 살기 힘든 하류 인생도 모두가 죽으니 스스로의 의지로 태어난 것이 아닌 데다 불공평한 세상에서 그래도 모두에게 공통으로 다가오는 것이 죽음이니 이를 받아들이는 것이 크게 어렵진 않는가 봅니다. 그리고 죽음이라는 것이 우리가 결코 그 경험을 공유할 수 없어 필연적 단정은 금물이고 의구심만 들게 마련이고 답을 찾을 수 없어 더한 번민 속에 갇히게 됩니다. 제한적 두뇌를 가진 인간이 불멸의 한계를 실감하고 그래도 어떻게든 지금보다 인간답게 잘 살아야겠다는 반성적이고 회고적인 해결책을 제시하는 것이 그래도 우리 인간인 듯합니다.

이번 장인(丈人)상을 치르면서 느꼈던 생각을 적어봅니다.

· 현실적 생각

어르신이 병원에 입원하는 횟수가 잦아지고 숨이 거칠어지는 걸 느끼면서 준비가 필요하다는 생각은 했지만, 내뱉는 것이 두렵고 오해의 발단에 시초가 되지 않을까 하는 우물쩍한 상황에 나이가 들면 당연히 그 정도의 아픔은 있는 것이고 우리나라의 의료 수준도 세계에 비길만하니 조금은 더 버틸 수 있으리라는 자위로 채우고 있었습니다. 그런데 막상 임종 소식을 접하고 나서 드는 생각은 아쉽다는 생각과 함께 아이러니하게도 안도감도 일부 있었습니다.

물론 그전에 의료진으로부터 소생이 힘들고 깨어나더라도 정상적인 생활이 힘들다는 의학적 소견을 듣고 나서 그 힘든 현실적 어려움을 참고 견디느니 차라리 편안한 마침표를 찍는 것이 어떻겠냐는 세속적인 마음이 있었기 때문이기도 합니다. 봄에 꽃이 피고 나서야 그 나무가 무슨 나무였다는 것을 아는 것처럼 그분이 계시지 않으니 비로소 그 빈 자리가 크게 느껴졌고, 다시는 얼굴 마주보며 밥을 먹거나 이야기할 수 없다는 것이 못내 아쉽고 방에서 밭에서 똑딱똑딱 웅크린 모습을 볼 수 없음에 마음이 짠했습니다.

한편으로는 가장 사랑하는 사람이 곁을 떠났을 때 그 고통이 가장 극에 달하여 일상을 제어할 수 없다고 하는데 난 그 정도에 미치지 못하니 어르신을 사랑하지 못했다는 자책감도 들었지만, 어르신이 관계를 맺으며 남기고 간 가장 소중한 아내와 그들과 다시 관계된 사람들과 앞으로도 좋은 맺음이 살아있는 자의 위로라는 생각이 더욱 굳세어졌습니다.

· 죽음은 평등한가

저는 채 미성년을 벗어나기도 전에 할머니와 아버지를 통해 죽음이 슬프다는 걸 알았습니다. 방 한쪽에 누워계신 초점 없고 힘없고 윤기 없는 아버지의 눈동자에 죽음이 있었습니다. 그래서 죽음이라는 것이 오지 않았으면 했고 그것으로부터 피하고 싶었습니다. 그러나 현실은 하루가 멀다 하고 부고가 전해지고 그럴 때마다 위로의 말을 건네 보지만 되돌이표이고 오늘도 약속된 것처럼 부고가 전해집니다. 이제 그들이 세상에서 한 일이 끝났음을 의미합니다.

모든 사람은 죽음이 참 공평하다고 하지만 나는 그렇지 않은 것 같습니다. 모두가 죽는다고 평등하다는 것은 아닌 것 같습니다. 순응하고 타인의 어려움을 살피고 남을 해하지 아니하는 사람이 일찍 생을 마감하는 것은 평등함과는 일정한 거리가 있는 듯합니다. 그 이상은 신의 영역이라 침범할 수 없지만, 나는 그들이 꼭 천국에 가기를 희망합니다. 장인(丈人)도 꼭 그 대열에 함께 함을 믿고 있습니다. 장인(丈人)이 살아오신 삶을 되돌아보면 그래야 죽음이 그나마 평등하다고 할 수 있을 것 같기 때문입니다.

고인이 되신 장인과 장모님의 다정한 모습

· 신은 존재하는가?

사람은 죽음으로 비로소 신께 다가섭니다. 신은 힘든 삶의 원천이기도 하고 눈에 보이지 않음이 오히려 신앙인에게는 더욱 확고한 믿음을 줍니다. 신은 우리에게 죽음을 통하여 2가지 기준을 제시합니다.

첫째는 '윤리성'입니다.

살아있는 동안 참과 진실을 행하도록 하고 거짓에 현혹되지 않도록 합니다. 사람의 도리를 하도록 압력을 가합니다. 이는 판단하기는 쉬우나 행하기는 만만치 않습니다.

둘째는 '절대성'입니다.
신의 존재를 믿으라는 겁니다. 형체가 있다 하나 살아있는 동안에 실물을 본 적이 없고 신이 해 놓은 일을 과학적으로 증명할 수 없습니다. 그래서인지 사람은 힘들 때 신을 찾기도 하고 존재를 의심하는 이중성을 가집니다. 신의 존재에 대하여는 설이 다분합니다. 니체는 '신은 죽었다'라고 하면서도 허무주의를 통하여 신의 존재를 인정하고 있으나, 루게릭병으로 휠체어에 의지하면서도 왕성한 활동을 펼쳤던 천재적 물리학자 스티븐 호킹은 죽으면서도 신의 존재를 부인하였습니다. 우리는 신의 존재에 대하여 시비가 있을 수 있지만, 모든 인간은 윤리적인 삶이 지배되는 삶을 살도록 요구받고 있고 어쩌면 그러한 삶이 신에게로 다가가는 첫걸음일 겁니다.

· 삶과 죽음은 같다?

내 몸과 정신은 수천 년을 이어져 내려와 지금의 내가 되었습니다. 그래서 지금의 나는 독립된 개체가 아니라 미완성된 복합체로서 후손들에게 나의 유전자를 전해주게 됩니다. 신체의 활동이 정지되면 죽음이라 말하고 신체적으로 모든 것이 이전과 단절되었다고 생각하기 쉽습니다. 그러나 현대 과학에서는 삶과 죽음을 같다고 보는 시선도 있습니다. 우리의 몸은 원자로 이루어져 있으며 죽어서 흙으로 또는 화장해서 하얀 가루로 돌아간다 해도 그 원자는 계속 남아있다고 합니다. 그래서 삶과 죽음을 분리할 수 없다고 합니다. 종교적 시선으로 보아도 신체는 없어져도 죽은 자의 영혼이 살아있다고 하는 것이 일반적입니다. 이 역시 삶과 죽음을 분리하지 않습니다. 그래도 우리는 죽음을 마주하게 되면 슬프고 두려움을 느낍니다. 이는 아마도 인간이 피조물이라는 특성을 가지고 있고 어떤 경우라도 죽음에 대하여는 주체적이지 못하기 때문입니다. 그리하여도 우리는 인간이라는 피조물로 살아가면서 거기에 맞는 윤리성을 찾아가는 것이 우리의 운명이 아닐까 하는 생각입니다.

장인(丈人)상에 찾아와 주시고 마음의 위로에 다시 한번 감사드립니다.

아울러 코로나 극복을 위하여 4월 중에 첨단1동 100인걷기동호회 발대식 등 다양한 행사가 있었습니다. 직원분들의 노고에 감사드립니다.

코로나 극복을 위한 100인 걷기동호회 발대식

마을주민과 함께한 벤치마킹

[열 번째 러브레터]

사소한 이야기

(2021.6.17)

사소한 이야기

▸ 5월의 소환

지난 5월을 잠시 기억합니다. 광주에서의 5월은 남다릅니다. '민주'라는 외침, 함성, 어깨동무, 총소리, 쓰러짐, 아픔, 화해입니다. 우리 직원들의 협의 하에 자체적으로 5월 18일이 있는 한 주를 '5·18 민주 주간'으로 정해 자체 행사를 진행했습니다.

첫 번째 날에는 직원들이 조금 빨리 출근해 5·18을 이해하는 시간을 가졌습니다. 제1 발제자로 80년대생인 SJ씨가 5·18의 배경 및 야사를 곁들인 재미있는 설명으로 직원들로부터 역시 S대 역사학과 출신이라는 찬사를 받아내었습니다. 그러나 그 속에서 우리가 몰랐던 사실을 찾아냈고, 그 재미있는 이야기 속에 아픔이 있었습니다.

제2 발제자로 제가 3·15부정선거부터 4·19혁명, 부마항쟁, 5·18 민주화운동, 6월항쟁으로 이어지는 근대 민주화 과정을 어설프게 설명했습니다. 그래도 직원분들의 호응(?)에 감사드립니다. 발제가 끝나고 각자 5·18 민주화운동에 대한 정의를 내려보는 시간을 가졌습니다. 이러한 자발적인 5·18 배우기는 아픔의 시간을 가진 광주 공동체를 이해하는 데 유익한 시간이었습니다. 이외에도 기간 동안 진행된 5·18 사진 전시회 및 5월 주먹밥 나눔 행사도 우리가 자체적으로 진행하였습니다. 이는 5월의 의미를 더해 주었다고 생각합니다.

우리는 이와 같은 작지만 의미 있는 시간을 통해 인간이 날 때부터 가지고 있는 순수한 날것, 이것저것 재는 어른들의 인식적 지각이 아닌 감성과 행동이 본능적으로 하나되는 어린 아이들의 순수한 직진, 인습이 스며들지 않고 주관적 색채가 전혀 들어가 있지 않은 순박하고 자연스러운 '인권'이 국민으로부터 부여받은 권력을 잘못 사용한 자들에 의하여 너무 많은 희생을 치렀음에 가슴이 아픕니다. 그래서 저는 이제 거대한 그 무엇을 이루려는 욕심보다 내 생활 주변에서 일어나는 일에서 아름다운 일상을 찾아보려고 합니다. 이러한 목적을 가지고 내가 한 달 동안 살면서 좋았던 일과 그렇지 못했던 사실을 기록하여 보았습니다.

5·18 민주화운동 사진전시회

5월 주먹밥 나눔 행사

▸ 나의 한 달 생활 - 좋았던 일

사이렌을 울리며 지나가는 구급차를 보고 잠깐의 기도, 화장실 바닥에 떨어진 화장지 줍기, 운전할 때 보행자 잠깐 기다려주기, 잠깐 시간 내어 직원들 모두가 잘되길 기도, 기분이 꿀꿀한데 마침 친구가 퇴근 시간에 맞춰 술 한잔하자고 기다릴 때, 풍에 걸린 할머니를 데리고 산책하는 할아버지 모습, 무등산 풍암정에 올랐는데 마침 아무도 없고 물 흐르는 소리, 조잘조잘 새소리, 푸른 하늘에 점박이 구름, 또한 팔 벌려 누우니 밑에서 바라 보는 빗살 처마가 너무 예쁜데 나 혼자 독식할 때,

무등산 풍암정

술자리에서 떠드는 내 얘기를 묵묵히 들어줄 때, 마스크 없이 걸어가는 사람에게 마스크 한 장 건넸을 때, 남한테 감사하다는 말 들었을 때, 땀 흘려 운동하고 막걸리 한 잔 들이켤 때의 시원하고 알싸한 첫 느낌, 하루에 걷기 2만 보 채웠을 때, 엄마 안부 전화했는데 목소리가 밝을 때, 딸 아침에 깨웠는데 바로 일어날 때, 거짓말인 줄 알지만 잘 생겼다는 말 들었을 때, 싸인하는 데 잘 써질 때, 점심이 생각보다 맛있을 때, 아침에 자고 일어났는데 속이 편할 때, 화장실에서 볼일 보는데 깔끔할 때, 문득 휴대폰을 봤는데 정각 4시를 가리키고 있어 뭔가 잘 될 것 같은 느낌이 들 때, 비 온 뒤의 청명함, 헤드폰으로 음악을 듣는데 음질이 너무 좋을 때, 그렇게 아픈 허리가 병원에 안 갔는데 통증이 한순간 사라질 때, 현관문을 열었는데 맛있는 냄새가 코로 슥 들어올 때, 황사로 차가 더럽혀졌는데 비가 와서 씻어줄 때, 장모님한테 전화했는데 한서방이 전화해 줘서 고맙다고 할 때, 읽고 있는 책의 마지막 페이지를 보게 될 때, 쓰레기를 던졌는데 휴지통에 한 번에 골인될 때, 배고플 때 먹는 과자 한 조각, 주차장에 차들이 빽빽한데 우리 아파트에서 가장 큰 면적의 주차 공간이 보일 때, 얼마 전 외국인이 사무실에 일 보러 왔는지 주민자치센터 입구에 서 있다가 나와 몸이 마주쳤는데 그 외국인이 "I am sorry" 하길래 무의식적으로 "You are welcome!"하고 난 후 나도 쓸만한데 하는 기분이 들 때, 건널목 건너다 할 일이 없어 건너오는 사람 숫자 세는데 10명으로 딱 떨어질 때, 저녁 먹고 과일 먹고 배가 띵띵한데 한 시간 정도 걸었을 때의 속 편한 느낌, 주변에서 나에 대한 소문이 좋다고 들었을 때, 정말 오랜만에 연락 온 고향 선배님이 아무런 부탁 없이 소주 한 잔 사줄 때, 아침 일찍 휴대폰 전화벨에 놀랐는데 전혀 연락 없던 서울에서 대학 다니는 막내딸이 안부전화했다고 하여 어리둥절하면서도 좋았을 때. 무심코 라디오 틀었는데 듣고 싶었던 노래가 나올 때, 내비가 가르쳐준 길 무시하고 갔는데 더 빨리 도착했을 때, 내 이야기에 맞장구쳐줄 때, 걷다가 갑자기 생긴 볼일을 무사히 마쳤을 때, 운전하는데 끼어들고 제 맘대로 운전한 새끼가 1차로에 막혀있는데 뒤에 간 내가 한적한 2차로를 따라 더 빨리 가게 될 때의 고소함, 걸어가는데 건널목 신호등마다 파란색으로 바뀔 때, 차량 운전하고 가다가 좀 쉬려고 길옆에 있는 정자에 갔는데 생각지도 않게 앞으로 물이 흐르고 푸르른 산이 뒤를 받쳐주고 그 경치가 너무나도 좋았을 때, 위생 업무와 관련된 강의를 했는데 너무 좋았다는 말을 들었을 때. 아침에 출근하여 맑은 눈으로 책 한 줄 읽을 때, 지식 근육, 마음 근육이라는 말이 문득 떠올랐을 때, 직원 1명 보충된다는 소리 들었을 때, 그동안 통 연락 못했던 고향후배가 찾아와 차 한잔 하면서 이런 저런 이야기 나눌 때,

위생업무 강의

▸ 나의 한 달 생활 - 싫었던 일

운전 중 옆 차에서 담배꽁초 버리는 놈 팔 부러뜨리고 싶을 때, 과자봉지 휙 던지는 행동이 여학생의 예쁜 모습과 대비될 때, 술 먹는데 정도를 지나친 욕하는 잔소리 들어야 할 때, 땀나는데 씻지 못하는 상황, 행사 계획표에 없는 일 하기, 아침에 늦잠 자려는데 커튼 사이로 햇빛과 마주할 때, 하기 싫은 일 해야 할 때, 걱정스러운 일을 앞둔 며칠간의 초조함, 신호 대기 중 건널목 맞은편 지나친 스킨십 바라보고 있어야 할 때, 요즘 얼굴이 안 좋다는 말 들을 때, 주민들이 뭔가를 바라고 봉사하고 있다는 느낌을 가졌을 때, 우산 없이 나갔는데 마른하늘에 비, KH가 아들 병원 진료받는다고 할 때, 길에 떨어진 100원짜리 동전 주울까 말까 고민 시, 커피 잘 마시지 않는데 큰맘 먹고 5천 원 지불하고 커피 샀는데 천 원짜리 에쏠리지보다 맛없을 때, 통신사에 전화했는데 "반갑습니다. 무슨 일 도와드릴까요?"라고 예쁜 목소리로 말하는데 정작 문의한 일이 안 됐을 때, 아침에 샌드위치 먹었는데 더부룩하기만 할 때, SJ씨 아버님 뇌경색으로 쓰러졌다는 얘기 들었을 때, 허리가 살살 아파질 때, 쌍암공원 저녁 걷기 행사가 비로 인해 취소될 때, 학동 건물 붕괴사고 소식 들었을 때, 풍영정천 초등학생 익사 사고 소식 들었을 때, 하얀 머리카락 하나가 길게 보여 뽑았는데 검은 머리가 같이 뽑힐 때, SS씨 아버님 입원 소식 들었을 때, 라면 국물 먹고 싶어 물 끓였는데 비빔라면밖에 없을 때, 주말에 아내랑 큰딸 처가에 1박 2일 가서 불토였는데 막상 하는 일이 하나도 없을 때, 거울 속 내 얼굴 봤을 때, 마트에서 20분 이상 머무를 때.

▸ 사소한 것들의 중요함

한 달 남짓 생활하면서 그때그때 기록해 봤습니다. 근데 그 한 달 동안 나는 정말 많은 고민이 있었고 즐거운 일이 있었는데, 그것을 이루는 것의 대부분이 별것 아닌 것을 알게 되었습니다. 조그마한 일로 얼굴 붉히고 싸운다는 말이 진짜인가 봅니다. 공감하시나요? 직원분들도 다음에 시간적 여유 있으면 한번 기록해 보면 그래도 세상은 살만하다는 걸 알 수 있을 거라는 확신입니다. 그리고 기록하는 과정 중에 한 가지 재미있는 사실이 있습니다. 즐거운 일은 계속 쓸 수 있는데 그 반대되는 일은 기억하는 데에는 억지가 필요했습니다. 즐겁지 않은 일은 쉽게 얻어내지 못하고 짜내고 짜내야 한다는 것입니다. 행복은 생활하는 곁에 항상 함께 있다는 것에 다시 확신을 느낍니다. 이로써 '행복은 사소한 것에 있다'라는 정의를 지지합니다.

▸ 참 공무원

왜 청년들이 젊음을 소비하면서 공무원을 하려고 하는 걸까요? 당연히 경제적 안정이라고 말합니다. 국가 간의 경쟁이 심화되고, 세대 간의 충돌, 예측 불가한 내일을 향해 발 디딜 수밖에 없는 21세기는 청년들을 공무원 만들기에 몰두하는 환경으로 만들어가고 있습니다. 분명 미래의 발전적 방향에 역행하는 생각이지만 모두가 그렇듯이 내 아이도 공무원이나 대기업에 들어가길 바라는 마음을 가지고 있어 나무랄 수는 없습니다.

그렇다 하더라도 이미 공무원이 된 우리들은 어떠한 생각을 가져야 하나요? 이에 대한 제 생각은 변화해 왔습니다. 막 공무원을 시작해서는 공무원이 인·허가·통제권을 가지고 시민의 권리를 제한 또는 풀면서 사회질서를 유지하는 체제를 만들어가는 행태를 가진 선배들의 모습을 보면서 나 또한 그렇게 해야 한다 생각했습니다. 40대에 들어서면서 내가 속한 사회 공동체에 어느 형태로든 일정 부분 기여해야 한다는 생각을 가슴속에 품고 조금이라도 시민의 편에서 생각하고 그들에게 좀 더 다가가는 행위로 이를 무마하려고 했었습니다. 지금은 [아홉 번째 러브레터]에서 언급한 것처럼 사람은 죽더라도 그 유전자가 원자의 형태로 남아 후세에 영향을 주므로 내가 올바로 살아가야 좋은 공동체를 만드는 것이라는 생각으로 하루를 살아갑니다.

덧붙입니다. 경험상 공무원은 공감하는 능력이 중요한 것 중 비교우위에 있다고 생각합니다. 공감은 즉답적이어야 합니다. 시민의 말과 행동을 듣고 생각하고 계획하고 행동하면 늦습니다. 같이 놀던 아이 중 한 명이 울면 자신의 감정과는 관계없이 다 같이 따라 우는 것이 공감입니다. 직원분들도 직장생활의 의미에 대하여 한번 생각해 보는 시간 가져 보시면 좋겠고, 오늘도 작지만 사소한 일에서 보람을 느껴봅니다.

[열한 번째 러브레터]

사는 것은 즐거워야 합니다

(2021.7.21)

사는 것은 즐거워야 합니다

▸ 첨단1동의 기억

인사권자의 결정과 직원분들의 허락으로 이곳에 자리를 튼 지 3주가량의 시간이 흘러 이제는 앉아있는 의자가 몸에 익숙한 느낌으로 다가오고 이제야 지난 근무지에서의 기억이 새록새록 납니다. 첨단1동 행정복지센터의 1년 6개월은 나에게 좋은 기억으로 남아 있습니다. 가자마자 어리둥절한 상태에서 시작된 교육의 초입에서 코로나라는 그 누구도 예측하지 못한 감염병으로 교육자 복귀 예정이라는 아슬아슬한 사다리를 건너고 하루 이틀만 하고 서로를 위로하며 버텼지만 결국은 6주 교육 기간을 다 채우지 못하고 4주 만에 복귀하게 되었고 아무것도 모르고 무얼 할지도 몰라 눈치빨로 부족한 부분을 메워 나갔습니다.

주민들과 코로나 방역

제가 동장의 직무를 수행하면서 예상하지 못한 어려움이 있었습니다. 첫째, 무엇보다 낯선 단어에 익숙하기까지 적지 않은 시간이 흘렀습니다. 주민자치회, 지역사회보장협의체, 상인회, 학생사랑협의회, 방범대, 바르게살기위원회, 기우회, 통장단, 예비군 동대, 지구대, 노인회, 적십자회, 사회복지관, 청소년수련관 등 단어만으로 성격을 짐작할 수 있는 단체가 있는 반면에 그 속을 들어가 봐야만 하는 단체도 있었습니다. 단체장들 모두는 자기만의 독특하지만 뚜렷한 개성을 가지고 있었고 단체를 이끌어 가기 위해 많은 노력을 기울이고 있었습니다. 저와의 관계는 비교적 원활하여 사업을 추진하거나 협의에 대한 큰 어려움은 없었으나 코로나로 인한 잦은 사업 변경으로 쌓이는 피로감은 서로에 대한 기댐과 이해로 줄여나갔습니다. 그래도 시간이 해결한다며 하루하루 지내면서 부족함을 메워 나갔습니다.

둘째, 현실적인 문제로 단체별 또는 행사모임 자리에서의 인사말이었습니다. 약속에는 없지만 인사말은 2~3분 정도의 임의적 시간이 보장됩니다. 너무 짧게 하면 성의 없고 준비 없어 보입니다. 그저 의자에 앉아서 하는 거라면 좋을 텐데 성능 좋은 마이크가 주어지고 일어서게 됩니다. 겉에서 보기엔 아무것도 아닌 것 같았는데 처음으로 하는 경험, 낯선 분위기와 모두가 나를 쳐다보고 있어 긴장되고 손은 어디에 놓아야 하고 눈은 어디를 봐야 하는지도 신경 쓰입니다. 말의 강약, 속도가 천장과 벽면을 타고 내 귀에 전해지면 대부분은 짜증이 되고 '이렇게밖에 못 할까' 하는 자책감이 그 짧은 시간 동안 나를 괴롭히면서 이를 만회하기 위해 이때쯤이면 애초 생각에 없었던 수사가 따라붙고 내용이 부풀려지게 되어 마무리는 엉망이 됩니다. 대부분은 이렇게 되었지만 이 또한 시간이 어느 정도 해결해 주었습니다.

셋째, 너무 잘~ 하시는 분들의 그늘에서 벗어날 수 있을까 하는 걱정이었습니다. 그분들은 청장님과 前 동장 김선 동장님입니다. 첨단1동은 청장님이 거주하시는 동네라 은근한 부담이 있었습니다. 처음에는 청장님이 첫 발령 받았다고 축하차 방문하시고 코로나로 고생한다고 방문하고 큰 눈 올 때는 출근 전에 제설작업 한다고 들르시고 지나가다 우리 동네 동사무소라 들렀다고 하시고 오실 때마다 미리 연락은 있었지만 어떻게 해야 될지도 모르고 어리바리 차 한잔 같이 마신 기억밖에 없는 것 같습니다.

청장님은 저녁마다 특별한 계획이 없으시면 근처 쌍암공원을 산책하시고 아는 분들 만나면 맥주도 한잔하시는 통에 처음에는 가야 하나 말아야 하나 고민도 했었지만 에이~ 근무 시간 이후니까 하고 포기하니 마음이 편했습니다. 동을 찾는 많은 주민이 청장님을 잘 알고 계십니다. 그러다 보니 본의 아니게 청장님의 생활 패턴을 조금은 익히게 되고, 소식도 쬐금 듣게 되는 정보력도 자연스럽게 주어졌습니다. 직원분들도 알다시피 청장님은 소탈함과 솔직함을 가지고 계시고 시민을 위한 욕심이 과하신 덕으로 정치적 선택도 있으신 분입니다. 그래서인지 정책도 조용하지만 실질적 혜택을 바라는 것이 많습니다.

前 김선 동장님은 공직 생활 대부분을 지금의 행정지원과에서 근무하셨습니다. 구청의 굵직한 행사 또는 전체 회의 또는 직원들의 최대 관심사인 인사와 관련되어 얼굴을 마주한 경우가 많았고, 청장님으로부터 동장 재직 시에 주민자치회 관련 등으로 정말 잘해주었다고 칭찬받았다는 소리가 내 귀에 심심찮게 들어와 마음이 더욱 조여왔고 내가 첨단1동으로 발령받았다고 하니 某人이 “자네는 참 재수가 없네! 前 동장이 못하면 가만히 있어도 중간은 가는데 前 동장이 너무나 잘해서 열심히 해도 어려우니 대충하라”라고

조언을 해 주는데 어떻게 해야 할지 참 답답했습니다. 그 뒤에 어떻게 됐는지? 잘했는지? 는 직원들과 주민들이 판단할 것이라 유보하고 제 마음은 그러했습니다.

첨단1동의 주인은 주민이고 그들과 협력하고 논의하여 조금 더 나은 마을을 만들어 가는 역할을 하는 사람은 행정복지센터 직원분들입니다. 제가 좋은 마무리를 할 수 있어 너무 감사했습니다. 팀장님, 직원님들의 감사한 마음을 어떻게 표현할 수 있겠습니까? 인사 발표 후 식사 자리에서 제가 뜻하지 않게 울컥한 마음이 들었고, 여러분과 함께 한 시간의 감사함의 표현으로 애써 대신합니다. 정말 감사했습니다. 앞으로도 좋은 인연으로 이어 나갔으면 합니다. 헤어짐은 당연한 수순이라 할지라도 그 순간을 아름답게 만드는 것은 함께한 과정입니다.

코로나 상황속에서 진행된 마을축제

▸ 첫 느낌

'건강증진과장' 인사 발령을 확인한 순간 다소 의외라는 생각은 들었지만, 큰 느낌은 없었습니다. 다만 지금까지 친분을 쌓아온 마을 주민들과 직원분들과 이제는 업무도 안정됐으니 술자리도 하고 이런저런 이야기도 하면서 지내도 되는 여유를 부릴 수 있겠다는 개인적 욕심에 아쉬움은 있었지만, 동장을 1년 6개월가량 했으면 언젠가는 이동이 있겠구나 하고 미리 예측하고 있었고, 건강증진과장님 퇴직으로 공석이라 이리저리 짜 맞추다 보면 어쩌면 그리로 갈 수도 있겠구나 하고 생각은 해 봤지만, 인간의 보편적이고 합리적 측정 방법인 확률을 고려해 봤을 때 그럴 수는 힘들겠다는 결론에 이르렀고 더욱이 인사권자인 청장님이 마을에서 모임, 식사

자리에서 수 차례 동에서 많은 마을 사람과 만나고 위생과에 가셔서 소상공인 경제를 살리는 데 힘써 달라고 하여 그 확신은 더 했었습니다. 그래서 인사를 앞두고 있었지만, 사실은 몇 개월은 더 있겠다 싶었습니다. 그러나 인사는 아무도 알 수 없는 일이었고, 발표 몇 시간 전에 언질을 받은 터라 애써 담담함을 가질 수 있었습니다.

사령장을 받고 건강증진과 사무실에 들어서니 눈에 익은 사무실 풍경이었고 팀장님들은 익히 아시는 분들이라 마음 편했고 제가 건강증진과에 간다 하니 직원분들에 대한 정보를 여기저기에서 얘기해 주는데 일부러 그런 것인지 부정적인 내용은 전혀 얘기해 주지 않고 희망적 얘기만 들어 기분이 좋아서일까 아무런 무장 없이 가도 죽지 않겠다는 믿음을 가졌습니다.

누군지 잘 모르는 직원분들과 아직은 서먹한 인사를 하고 금연실, 방문간호실, 치매센터와 눈맞춤 했습니다. 신선함이 있었고 역으로 접해보지 않은 분야라 엿볼 수 있는 호기심이 생겨 좋았고, 가장 좋은 것은 모르는 분들과 새로운 관계를 맺어 갈 수 있다는 생각에 기분이 업되었습니다. 모두 잘 맞아 주셔서 감사드립니다. 앞으로 새로운 이곳에서 아름다운 기억이 될 만한 추억거리를 만들어 갈 수 있다고 생각하니 매일이 즐거울 것 같습니다.

▸ 나를 소개합니다

건강증진과에 왔으니 제 소개를 먼저 하는 것이 예의입니다.

나이) 저는 386세대이고, 3년에서 한 달이 못 되는 정년을 남겨두고 있습니다. 친구들 중 일부는 명예퇴직하였거나 준비하고 있고, 선생 놈은 아직도 꽤 남은 나이예요. 뚝딱뚝딱 막노동하는 놈은 아직도 청춘의 나이고요. 허리고 무릎이 한 번씩 아플 나이입니다. 대략 유추하세요.

성격) 물길을 옆으로 트지 않고 물 흐르는 대로 따라가고, 업무를 함에 있어서는 물길을 막았다 한꺼번에 트거나 다른 물길을 내는 것을 좋아해요. 그렇다고 남들이 나하고 함께 하지 않는다고 뭐라 하지 않고 같이 하자고 하는 편도 아니고 투덜거리지 않아요. 대화 시 길게 말하는 걸 삼가고 듣는 건 비교적 잘해요. 듣기 싫어하는 말을 하거나 화를 내도 잘 참는 편이고요. 친구나 직원분들이 퇴직하고 뭐 할 거냐고 물어보면 '요양보호사' 해야겠다고 말하고 있으니 제 성격을 정확히 알고 싶으면 '요양보호사' 자격요건 검색해 보세요. 저도 아직 검색해 보지 않았어요. 걸으면서 생각을 정리하는 습관을 가지고 있고, 순발력이 떨어지니 질문하고 바로 대답을 기대하지 마세요.

가치관) ① 21C는 다양성의 시대입니다. 획일성을 벗어난 지 오래고 자기만의 고집, 아집은 이제 어르신들의 전유물이 아닌 사람

각자를 형성하는 하나의 특징이 되었다 할 수 있습니다. 다양성의 시대에 공무원으로 살아가기 위해서 어쩌면 주권을 가진 시민으로서 살아가기 위해서는 당연히 다양한 경험을 가져야 합니다. 독서를 통하여 함께 살아가는 타인의 생각을 헤집어 낼 수 있어야 하고, 취미활동으로 동질감을 느끼고 여행을 통하여 미래를 바라보아야 합니다. 이 외에도 지역문제 끼어들기, 주변 상황 관심 갖기, 길거리 쓰레기 줍기 등 다양한 경험이 지루할 것만 같은 직장생활에 윤활유가 될 수 있고 공직자로서의 나름 보람을 가질 수 있습니다. 다른 생각을 가지는 건 당연하나 사회의 여러 분야에서 직·간접적 경험은 꼭 필요하니 자신에게 맞는 걸 찾아보세요.

② 신뢰를 중요시합니다. 믿는다는 거지요. 자기희생이 따릅니다. 사람과의 관계에서 상대방을 믿는다는 것은 자신의 헐벗은 모습을 보여주는 것이고 서로 총구를 겨누고 있는 상황에서 내가 먼저 총을 내려놓는 것입니다. 그런 이유로 계획단계에서 올라오는 기안이나 계획은 가급적 수정하지 않습니다. 기안이라고 하는 것은 이렇게 하겠다는 기안자의 의지가 담긴 것이라 고치기 힘듭니다. 노력을 허물거나 무시하는 경우가 될 수 있기 때문입니다. 그래서 기안자는 사업을 시행할 때 계획을 검토하고 보완하는 데 충분한 노력을 들여야 하는 이유입니다. 남을 잘 믿는 만큼 상대방도 나를 믿어주기를 바라고 있습니다. 서로가 숨김없이 일하고 대화하다 보면 조금 더 나은 직장이 되지 않을까 생각해 봅니다.

▸ 우리 서로 함께해요 - 우리 과는 이렇게 되기를 원합니다

① 지역사회 건강의 존재가치를 위한 건강증진은 현대사회의 목적과 부합합니다. 그래서 다양한 분야의 전공자가 힘을 모아야 하고 타 분야의 전공자 또는 단체와 연결되어 있습니다. 이런 현상은 경제, 체육, 문화, 관광 등과 별반 다르지 않지만, 건강은 모두의 관심사라는 점에서 차별을 둘 수 있습니다. 많은 시책이 시행되고 있고 다양한 시도가 계속됩니다. 그렇지만 쉽지만은 않습니다. 시민들은 피부에 직접 닿고 현실감 있는 대안이 나오기를 기대합니다. 눈높이도 당연히 높아졌습니다. 공직자의 입장에서 보면 힘듭니다. 건강에 있어서 만큼은 내가 만들고 시행하여 혜택을 받는 직접적인 당사자라고 생각하면 하는 일에 대한 자부심이 생깁니다. 그 자부심을 잡고 있는 끈 놓지 않았으면 합니다. 그리고 우리는 그러한 것을 함께하면 더 잘할 수 있습니다.

② 시민과 접점에 있는 공직자는 '친절서비스'라는 말을 퇴직 시까지 듣고 살아야 합니다. 미리 다가서고 공손한 말과 얼굴로 민원인의 요구를 맞춰 주어야 한다고 끊임없이 교육받습니다. 그러나 내가 언제나 민원인만을 맞기 위하여 대기하는 상태가 아니기 때문에 어렵습니다. 완벽할 수는 없지만 불친절로 인한 불만을 줄일 수 있는 방법은 있습니다. 따지고 보면 민원은 나와의 싸움입니다. 불친절 스트레스가 결국은 나에게 오기 때문에 이를 흡수하는 스펀지가 없으면 내가 괴로워 죽습니다. 그래서 저는 심리학 및 인문학을 곁에 두려고 노력합니다. 아무것도 아닌 그저 책 내용이라 생

각하실지 모르지만 내 마음을 추스르고 인성을 다듬는 효과를 가져옵니다. 그러면 친절은 하려는 의지에서가 아니라 자연스럽게 따라오는 효과를 볼 수 있습니다. 무조건 친절이라는 단어를 머리에 담으려 하지 말고 자신만의 방법을 찾아보세요.

③ 두루두루 폭넓은 지식을 가지는 것이 필요합니다. 공무원은 행정직군 및 다양한 분야의 기술직군으로 나누어져 있습니다. 기술직의 경우 내가 어떤 부서에 가서 근무하게 되는지는 대략 가늠할 수 있습니다. 한편으로 지방자치단체는 일정한 지역을 기반으로 그 지역에서 거주하고 생활하는 주민들에 대한 안전 및 생활 여건을 향상시키는 일을 하고 있습니다. 지방자치와 분권이 중요시된다는 점과 맥락이 같다고 보시면 됩니다. 지역에 거주하는 사람들은 상대하는 공무원이 어떤 특기를 가졌는지는 전혀 중요하지 않고 그러한 것을 알고 싶지도 않습니다. 지방자치단체는 주민의 안전을 위하여 각 분야의 의견을 고려하여 시스템을 만들고 시행해 나가는 기관입니다. 그래서 훌륭하고 좋은 공무원이란 한 분야의 깊이보다는 다양한 분야를 넓게 두루두루 아는 것이 필요합니다. 여·야 정책, 일자리, 소외계층, 지역문화, 역사, 교육 등에 관심을 가지고 이것을 내가 하는 일에 접목을 시켜야 합니다. 이렇게 해야 내가 하는 일에 대하여 깊이를 더할 수 있습니다. 내 것만 주장하면 아집이 되어 조직 내에서도 배척됩니다. 그래서 공무원은 끊임없이 부지런히 공부하여야 하는 직업입니다.

▸ 다시 감사

'러브레터'를 처음에는 별다른 느낌 없이 했습니다. 그런데 하다 보니 마감 시간에 쫓기는 작가의 마음을 조금이나마 이해할 수 있었다면 거짓말일까요? 인사도 마무리되어 첨단1동 직원분들한테 감사 인사를 이달 내에는 해야겠다 했습니다. 어찌 되었든 그동안 감사했다는 말씀드리고 건강증진과 직원분들도 함께 하게 되어 감사합니다. 얼마 전 인사 발령 후 첨단1동 직원분이 지금껏 출근하는 동안 단 한 번도 출근 안 하고 싶어 망설인 적이 없다고 하였습니다. 정말 감사했습니다. 그러한 것은 서로가 어려운 점을 서로 배려하고 맞추려고 하는 함께한 마음의 결과라고 생각합니다. 사는 것이 즐거웠으면 좋겠습니다. 몸도 마음도 건강입니다.

[열두 번째 러브레터]

평가(評價)

(2021.9.2)

평가(評價)

보고 느낄 수 없을 것 같았던 시간은 거침없이 흘러 건강증진과에서 두 달을 버티고 있습니다. '첨단1동'이라는 말에 귀가 솔깃하기도 하지만 '건강증진과'라는 말이 나오면 움찔하고 돌아보게 됩니다. 그렇게 시간이 흘렀나 봅니다. 덥고 후덥지근한데 본연의 일을 미룬 채 코로나, 호우, 폭염 등으로 이리저리 다니는 모습이 안타깝습니다. 저는 그렇게 바라만 볼 수밖에 없어 속상하기도 합니다. 그래도 여름의 끝이라는 8월의 마지막이 지나가고 9월이라 물리적이나마 시원하겠다는 느낌을 갖게 되어 그나마 다행입니다.

시간은 상황을 반전시키는 참으로 무한한 능력을 가지고 있는 것 같습니다. 일제의 강제 합병과 일본에 대한 증오, 5·18의 가슴 통증도 시간과 함께 그 아픔을 가끔 잊게 되고 어떤 때는 대중의 기억에서 희미해지는 걸 보면 우리 앞에 닥친 위협도 언젠가는 다소 덤덤한 상태로 회자되지 않을까 싶습니다. 물론 그 아픔을 기억하고 추모하여 다시는 그런 일이 이어지지 않도록 하는 교훈은 반드시 필요합니다. 시간이 해결해 준다는 소극적 의미도 있지만, 시간은 그걸 뛰어넘어 행복으로 이어지도록 하는 능력을 가진 것 같습니다.

시간이 흐름에 따라 일의 내용, 동선, 업무의 성격이 희미하게 눈에 들어오고 동료분들의 일하는 모습도 눈에 익어갑니다. 자신의 자리를 잘 지켜주었고 부족함은 옆에서 메꿔주어 둥글둥글한 모습을 가지게 되었습니다. 직원분들의 성격, 기질도 옅게나마 드러나 보입니다. 내가 곁가지로 알아 왔던 것과 비슷한 경우도 있는 반면, 다른 직원도 있습니다. 그러나 이런 나의 판단은 편협된 생각입니다. 오차를 줄이기 위해 같이 마주 보는 횟수를 늘려야 하지만 그러기는 쉽지 않습니다. 제가 자주 또는 길게 얘기하는 것 즐겨하지 않지만, 그에 앞서 생리적 나이와 임시적이지만 주어진 직책을 가진 상태에서 이야기하다 보면 은연중 말이 길어지는 꼰대 기질이 동요하게 되어 종국에는 대화를 힘들게 하는 경우가 있지 않을까 하는 우려 때문입니다. 이런 연유로 점심시간 후 음악도 듣고 잠깐의 오침도 하는 나만의 시간을 가지고 있으니 이해바랍니다.

어찌 되었든 내가 직원분들을 안다는 것은 옳고 그름의 양단이 아니라 수평의 일직선에서 약간 좌우로 이동한 것이라 생각해 주셨으면 합니다. 사람마다 다른 것이니 당연히 어느 것을 좋다 그르다 할 수 없는 것이고 이걸 부정하면 현대의 특성인 다양성을 부정하는 것이니 그런 사람은 세상을 참 살기 어렵다는 생각이지만, 저는 다양성을 인정하는 주류의 편에 있어 걱정이 없습니다.

서로를 이해하고 배려하면 됩니다.

9월은 가을이 시작되는 달이기도 하지만 농부의 입장이나 공적 활동을 수행하는 우리 입장에서는 수확을 거두기 위해 마무리를 해야 하는 시기입니다. 수확을 논하기 빠르다는 느낌은 있지만, 결실을 생각하면 더욱 부지런히 움직여야 되는 때인 것을 아는지 공람되는 공문도 올해의 결과물을 내놓으라고 합니다. 평가를 하겠다고 합니다. 평가는 아무래도 비교평가가 일반적이라 그렇게 따라갈 것이고, 코로나로 인하여 비대면이고 서류로 하는 경우가 대부분입니다. 우리는 이럴 때마다 의문을 가지게 됩니다. 왜 다수를 비교하여 순위를 매기는지에 대한 의문과 불만 말입니다. 이러한 순위평가는 준비하는 데 많은 시간이 소요되고 스트레스도 안겨 주는데 이걸 꼭 해야 하는지에 대한 필요성에 대한 것들입니다. 하기도 싫고 남한테 보여주는 것도 싫은데 평가를 받는다고 생각하니 존심도 상하고 괜히 약자 코스프레에 걸린 것 같기도 하고 여러 가지가 힘들게 합니다. 이러한 이유로 오늘은 '평가'에 대하여 얘기해 보고자 합니다.

인간은 군집을 이루어 살게 되어 자연스럽게 사회 공동체가 형성되고 땅에 대한 경계가 정해지면서 국가가 만들어집니다. 사회질서를 유지하기 위하여 법이 제정되고 이에 근거하여 행정자치부, 기획재정부 같은 부처가 만들어지고 지역별로는 광역, 기초 자치단체가 만들어지게 되어 국민 생활에 깊숙이 관여하게 됩니다. 현대사회에서는 삼권분립에 따라 행정부, 사법부, 입법부로 나누게 되지만 실제로 국민의 삶에 직접적 영향을 미치는 것은 행정부로서 체감지수는 90% 이상이지 않을까 싶습니다. 우리가 생활하는 모든 것은 행정부의 역할 범위 내에 있다고 할 수 있습니다. 교통, 쓰레기, 경찰, 검찰, 소방, 건축물, 도로, 공원, 병원, 학교, 도서관, 기후, 외교, 보안, 공장, 먹거리, 근로자, 선거, 코로나 방역, 경관, 광고물 등 갖다 붙이는 게 다 행정부의 일입니다. 법을 제정하는 입법부와 이것에 근거하여 판단을 내리는 사법부는 과거엔 범인(凡人)들에게는 관심의 영향에서 벗어나 있었지만, 지금은 국민들의 인권, 자치, 치안, 노동, 안전, 보안 등에 대한 기본적 욕구가 높아지면서 직간접적으로 참여하는 경향이 많아 예전과는 조금 다르다고 할 수 있습니다.

이렇게 국가의 형태가 갖추어지게 되면 법의 제정 목적인 사회질서를 유지하기 위하여 다양한 방법이 시도됩니다. 법을 위반하는 자에게 강제적으로 법을 집행하여 과태료 및 벌금을 부과하고 사형, 징역, 금고 처분을 내리기도 하고 내부적으로는 잘한 행위에 대하여 보상을 실시하고자 하는 목적으로 우리가 지금 하고 있는 평가가 이루어집니다. 이 평가의 결과로 개인 및 단체에 보상을 실시하고 법령을 위반하는 정도에 따라 파면, 해임 등 중징계를 받는 일도 있습니다.

평가하는 잣대는 2가지 정도입니다. 기준과 규칙입니다. 2가지 모두 평가를 하는 데 쓰이는 것이지만 약간의 차이가 있습니다. 기준은 절대평가라 할 수 있습니다. 어떠한 상황에 대하여 일정한 커트라인을 정해놓는 겁니다. 예를 들면 경찰공무원 시험에 100m를 15초 내에 들어와야 한다는 규정을 설정해 놓고 이를 충족하면 합격이고 그렇지 못하면 불합격입니다. 이에 반해 규칙은 상대평가이고 비교평가라 할 수 있습니다. 설명하려면 자세히 풀어야 하는데 이게 어려워 그냥 넘어갑니다. 우리가 받고자 하는 평가가 이에 해당된다고 할 수 있습니다. 그래서 남보다 더욱 잘하기 위하여 신경이 쓰입니다.

우리는 지방공무원이지만, 시스템상 국가조직의 일부라 할 수 있습니다. 국가조직은 다른 민간 조직에 비해 치밀하고 촘촘합니다. 당연히 그럴 것이 국가가 생긴 이후 쭉 이어져 왔기 때문입니다. 가깝게 보면 1948년 대한민국 정부가 수립되어 벌써 70년을 훌쩍 넘었고, 과거로 보면 고조선 이래로 내려온 조직입니다.

조직은 세분되어 있고 업무마다 담당하는 직원들이 있고 보수는 거르는 법이 없습니다. 그래서 조직이 탄탄할 수밖에 없습니다. 담당자가 조금 게을러도 조직은 시스템에 의하여 굴러갑니다. 광산구청장이 재임 4년 동안 별다른 일을 하지 않고 빈둥거려도 광산구청 조직은 큰 변화는 없습니다. 다만 시민들의 삶이 외면받고 다음에 선택을 못 받는 결과가 있을 뿐이죠. 건강증진과장이 365일 휴가 내고 놀러만 다닌다 해도 건강증진과 조직이 없어지지 않고 업무는 담당자에 의하여 추진됩니다.

전국적으로 기초지방자치단체는 230여 개로 그 숫자가 매우 많습니다. 그런데 조직의 형태는 비슷합니다. 이런 상황일수록 평가에서 좋은 점수를 받기는 더욱 어렵습니다. 하는 일이 서로 같고 엇비슷하여 판단하기 어렵기 때문입니다. 직원분들이 더욱 고생하는 이유입니다. 알랭 드 보통은 그의 저서 '불안'에서 '우리가 동등하다고 여겨 우리 자신과 비교되는 사람이 늘어날수록 우리의 불안감도 커진다'라고 이야기한 것을 보면 그 이유를 간접적으로 짐작할 수 있습니다.

우리가 어떻게 해야 좋은 평가를 받을 수 있을까요? 제가 여기에서 하고자 하는 것은 업무가 아닙니다. 업무는 여러분이 더 잘 아니 언급할 필요는 없을 것이어서 사회 관계성의 측면에서 얘기하고자 합니다. 바꾸어 말하면 공무원은 어떻게 해야 좋은 공무원이 될 수 있을까요? 로 귀결되어 집니다.

코로나 시국임에도 불구하고 우리 주변에서는 여러 가지 일들이 생겨났습니다. 장애인 최초로 8,000m급 히말라야 14좌를 완등하고 하산하는 길에 영원히 그곳에 묻힌 김홍빈 등반가가 나를 숙연하게 만들었고, 우여곡절 끝에 열린 도쿄올림픽도 시사해 주는 바가 큽니다. 코로나로 1년 연기되었고 그나마 개최하여야 한다, 말아야 한다는 말이 많았던 대회였습니다. 김연경으로 대표되는 여자배구,

근대 5종, 어린 김제덕의 파이팅과 안산의 양궁 등은 큰 재미와 희망을 주었고, 야구는 경기의 패배와 강백호의 껌 논란으로 실망을 안겨준 대회였습니다.

그중에서도 백미는 높이뛰기의 우상혁이 아닌가 합니다. 긍정, 희망, 끈기를 보여주었고, 군인으로서의 패기까지 보여준 그였기에 노메달이었지만 국민들은 큰 박수를 보냈습니다. 그를 보는 동안 즐거웠고 무언가 '나도 할 수 있다'라는 희망을 보았습니다. 모든 선수가 다 훌륭하여 비교하는 게 무리이지만, 주민을 위한 공무원으로서 닮아야 할 사람을 고르라 하면 우상혁이어야 한다고 생각합니다.

공무원은 국민과 접점에 있습니다. 국민을 떠나서는 존재할 수 없고, 그들과 부대끼고 그들과 함께 호흡합니다. 공무원은 권력과 돈을 가진 소수가 아니라 대중을 바라보고 살아갑니다. 그래서 공적 활동도 대중적인 것에 집중하게 됩니다. 공무원이 123층 555m 롯데타워를 짓는 데 설계를 할 필요도 없고 직접 지을 필요도 없습니다. 다만 설계대로 잘 지어지는지 검토하고 확인하면 될 일입니다. 우리가 근무하고 있는 보건소에서 첨단 의료기술을 가지고 환자를 치료할 필요도 없습니다. 그것은 민간의 영역이어서 살필 필요도 없고 병원이 법적 시설을 갖추고 운영되는지 보면 되고, 약자와 일반 주민에게 최적의 건강 서비스를 찾아 제공하면 됩니다.

공원이나 아파트 단지를 짓는 것도 그렇습니다. 도면대로 맞게 지어지고 운영되는지 확인하면 됩니다. 모든 공무원이 아주 전문적이거나 특별한 기술을 가지고 있을 필요는 없습니다. 물론 복잡해 가는 시대 상황에 맞게 일부 분야에서는 예외로 두더라도 전반적으로 그렇습니다. 마침 자치단체장이나 국회의원도 민선으로 선출되어 국민 모두가 권력이나 경제적 부의 여부에 상관없이 1인 1표를 행사하는 것도 이것에 힘을 실어줍니다. 그래서 제가 공무원으로서 바라는 인재상이 우상혁이라는 이유입니다. 공무원이 긍정적이고 즐거움을 가지면 국민이 웃을 수 있습니다.

그렇다면 공무원은 어떠한 사람이 되어야 하는 걸까요? 공무원의 자격이 아니라 인간으로서 갖추어야 될 자격이라 생각하시면 좋겠습니다.

첫째, 기본에 충실하여야 합니다.
제가 꽤 오래전에 경영학 관련 서적을 읽었는데, 그 책에서 저자가 이렇게 적어놓은 것을 봤습니다. 기업체에서 남보다 일찍 승진하는 유형을 조사해 보니 쓰레기를 잘 줍는 사람이었다고 했습니다. 이해가 잘되지 않았습니다. 그러나 곰곰 생각해 보니 회사 내 쓰레기를 주울 정도라면 회사의 일에도 관심이 있고, 회사를 사랑하는 마음도 남보다는 더할 것이고 그것을 경영자가 모를 리 없다는 생각을 하게 되었습니다. 저도 이 말을 믿고 실천해 보는 기회를 가졌습니다.

어느 날 출근하다가 보니 구청 본관 앞 계단 바닥에 붙어있는 종이 쓰레기가 있었습니다. 누가 보더라도 눈에 거슬렸을 것입니다. 그런데 줍기가 좀 그랬습니다. 퇴근 때 보니까 그때까지 쓰레기가 있었습니다. 하루 종일 수많은 직원과 민원인이 지나갔지만, 쓰레기 한 조각은 그대로 있었습니다. 제가 주웠습니다. 이게 뭐라고 줍는데 약간의 용기가 필요했습니다. 좀 이상한 느낌도 들었습니다. 그 이후로 저는 화장실에 쓰레기가 있으면 줍는 편입니다. 마음이 편합니다. 쓰레기를 주웠는데 책에서처럼 승진했을까요? 예, 했습니다. 주사보 달고 13년 접어들던 해에 팀장으로 당당히 승진했습니다. 같은 직장에 근무하면서 눈맞춤 하고 바른말, 올바른 행동, 약속 잘 지키고 하는 기본적인 것이 좋은 나를 만듭니다. 기본 방역 수칙이 코로나를 이깁니다.

둘째, 다름을 받아들이세요.
마음이 편안해요. 사람은 날 때부터 다릅니다. 부모가 다르고 생활 정도가 다르고 태어나는 장소가 다르고 생긴 것도 다르고 자신을 둘러싸고 있는 환경이 다릅니다. 나에게 선택권이 없는 선천적인 것에 대하여 뭐라 하는 건 들추는 사람이 잘못입니다. 이후에는 교육의 정도, 성격, 종교, 말투, 행동, 습관, 관계 맺음, 직장, 학교, 교우관계, 좋아하는 것 등도 다릅니다. 다르기 때문에 표현하는 방법, 비치는 모습이 다를 수밖에 없습니다. 다름을 인정하면 문제가 될 일이 없을 것 같습니다. 직장 내에서 간간이 들려오는 직원 간 다툼, 성차별 문제도 없을 겁니다. 조선 후기 북학파인 박지원은 '친구 간에 필요한 것은 밀접이 아니라 틈이다'라고 얘기했습니다. 같은 목적을 가지고 무리 지어 행동하는 집단은 패거리, 조폭입니다. 진정한 친구라 하면 다름을 인정하여 줄 때라고 할 수 있습니다.

셋째, 장점을 부각시키고 단점을 숨기세요.
나를 포장하는 데 주저하지 마세요. 사람은 보통 겉으로 드러난 것을 보고 판단합니다. 저 사람은 사람이 착해서 법 없이도 살아, 저 사람은 일을 너무나 잘해서 같이 하는 내가 편해, 이 사람은 심성이 너무 좋아서 인간관계가 좋아 이렇게들 말합니다. 개인은 단 몇 가지의 단점과 수많은 장점을 가지고 있습니다. 살아가면서 단점만을 생각하면 모든 게 트집이고 내 인생이 불행해집니다. 자신의 장점을 살리기 위해서는 해보고 싶은 일에 힘을 쏟아보세요. 그것으로 인해서 직장이 즐겁고 시민이 행복합니다.

많은 사람들은 이제는 직장이 부캐인 시대라고 합니다. 자신만의 본캐를 만들어 보세요. 그래야 단점을 가릴 수 있습니다. 굳이 단점을 남에게 알릴 필요는 없고, 이와 같은 단점을 가리는 노력이 지속되면 실수가 줄어듭니다. 단점을 가릴 때는 센스도 필요합니다. 떠들다가도 누가 오면 일한 척, 컴퓨터 쇼핑하다 누가 본 것 같으면 얼른 내리는, 이것도 부지런해야 할 수 있는 일이고 상대방이 안다 하더라도 밉지 않습니다.

넷째, 다양한 것에 관심을 가지세요. 우리가 흔히 직장에서 '저 사람은 일을 참 잘해'라고 합니다. 직장에서 일을 잘한다는 것은 최고의 칭찬입니다. 그런데 당사자는 그 말을 듣기 위하여 많은 노력을 하게 되고 그 과정에는 역설적이지만 가식성을 품게 됩니다. 어쩌면 내가 알고 있는 나와는 다른 모습으로 비치게 됩니다. 그래서 사람을 평가할 때는 '한 꺼풀 벗겨보기'를 권합니다. 상대방이 가장 잘하는 것을 벗겨내고 그 사람을 바라보면, 그 사람의 진정한 모습이 보입니다. 요즘 대학이나 직장에서 선택받는 자는 융합형 인간입니다. 한가지 만이 아니라 이것저것 잡것을 다 요리조리 뜯어보고 맞추어 보는 사람을 선호합니다. 사과참외, 오이고추, 대추토마토, 호박고구마, 폭탄주, 망고수박, 살구자두, 테슬라, 애플메론 등 오죽하면 먹는 것도 융합형입니다. 좋은 평가를 받는 사람은 다양한 것에 관심을 가지는 사람입니다.

다섯째, 남을 위한 시간도 가져 보세요. 저는 몇 해 전 前 부서에서 근무할 때 직원들을 위해서 할 수 있는 일이 뭐가 있을까 하고 생각하다가 이런 걸 실천해 보았습니다. 일주일에 직원 1명을 마음에 찍어두고 잠깐 시간 날 때마다 그 직원이 잘되기를 기도했습니다. 왠지 뿌듯하고 나의 기도 덕분에 그 사람이 승진하고 돈도 모아 차도 사고 생글생글 웃고 건강하다고 생각했습니다. 그리고 그 직원은 나한테 왠지 전보다 잘해 준다고 느껴졌습니다. 타인을 위한 기도가 결국은 나에게 돌아옴을 느끼게 됩니다.

광산구청은 굉장히 큰 조직입니다. 조직은 세분화되어 있고 인원도 많습니다. 경험상 일을 하다 보면 타 부서 협조를 받을 일이 간혹 있습니다. 그런데 쉽지 않습니다. 업무협조라 하지만 먼저 담당자하고 접촉이 되어야 하는데 그런 면에 있어서 보건소라는 울타리에 있다 보니 주춤하게 됩니다. 업무협조를 받게 되는 대상은 보통 조직, 예산, 인사, 복무, 감사, 일자리, 경제 등 우리가 생각하기에 구정의 주요부서 이어서 더욱 그런 것 같습니다. 직장생활에 있어서 인간관계는 당면업무 못지않게 중요합니다. 어려운 일도 말 한마디로 쉽게 해결할 수 있고 최소한 입 밖으로 뱉을 수 있어 답답함이 사라집니다.

이렇게 하기 위하여 저는 수년 전 한 달에 1명씩 사귀기를 했습니다. 제가 마음속으로 찍었던 직원에 대해 주변을 통해 알아도 보고 귀찮게 굴기도 하고 마주치면 괜히 아는 척 인사도 해보고 어쩌다 차도 한잔했습니다. 그러다 보니 무뚝뚝하고 신경질적인 사람이 진정성 있게 보이고 털레털레 다니던 행동이 소탈해 보였습니다. 성격상 얼마 가지 못했지만, 이런 식으로 이어가면 더 즐거운 직장생활이 되지 않을까 생각됩니다. 1년이면 12명이고 3년만 해도 36명입니다. 이 정도의 인맥이면 이리저리 연결되면 업무협조는 별 무리 없이 할 수 있을 것 같습니다. 우리가 보건소에서 20년 이상을 근무해도 타 부서 직원과 서먹한 관계를 벗어나기 힘듭니다. 참고로 하시어 자신만의 방법을 찾아보세요. 어느 정도 업무협조로 인한 스트레스에서 벗어날 수 있지 않을까요?

제가 '평가'라는 글제를 가지고 주절주절 적었습니다. 정리된 것도 아니고 나만의 생각이니 그렇다 하고 읽어주세요. 중요한 것은 자신이나 업무나 모든 평가는 상대방이 한다는 겁니다. 상대방이 정해놓은 기준과 규칙에 맞춰야 한다는 겁니다. 나 혼자 아무리 100% 옳다 해도 상대방이 틀리다 하면 틀리는 겁니다. 그래서 좋은 평가를 받기 위해서는 내가 좋아하는 것보다 상대방이 원하는 것을 해야 합니다. 타인과 함께하는 공동체가 되기를 바랍니다.

미리 추석 인사드립니다. 행복하세요.

[열세 번째 러브레터]

진리(眞理)

(2021.12.22)

진리(眞理)

▸ 프롤로그

내가 글을 쓰는 방법은 이렇습니다. 작가 언저리에도 가보지 못한 내가 우연히 시작된 몇 번의 글을 쓰면서 나만의 경험으로 얻은 방법입니다. 글을 쓰는 전후(前後)의 시간은 평균적으로 한 달 반 정도입니다. 먼저 쓸 글의 주제를 정합니다. 그리고 생활하면서 이 주제에 맞는 내용이 생각날 때마다 핸드폰에 저장하여 놓기도 하고, 운전하다 생각나면 메모하고, 책을 읽다가 관련된 내용을 표시해 놓습니다. 인터넷 검색으로 단초를 얻기도 하고 좋은 내용은 기억하여 놓습니다. 그리고 가장 중요하게 생각하는 것은 주제에 대해 많은 생각을 한다는 것입니다. 생각하면 가지가 뻗어나가 여러 가지가 뒤엉키고 생각끼리 서로 싸움질하는 상황에 맞닥뜨리고 혼란스러워 지식의 한계를 경험할 때가 많지만, 글의 방향성을 잡아나가는 데는 유익합니다.

작가는 머리가 맑아지는 밤늦게나 새벽에 글을 쓴다고 하지만 나는 그럴 생각은 아예 못 해봤고, 요즘에는 밤이 깊어져도 잠이 오지 않고 한번 깨면 다시 잠자리에 드는 게 쉽지 않아 그 시간에는 밀린 잠을 청하느라 마음이 급합니다. 그리해야 낮에 몸을 이리저리 놀릴 수 있고, 어떤 날은 술에 떨어져 자는 시간이고 다음 날 아침 출근해야 하는 도돌이표 인생이니 그렇게 할 수가 없습니다. 일필휘지(一筆揮之)한다는 것은 언감생심이요, 그 생각을 마음에 두지 못합니다. 나름 고민에 고민을 더하여 끙하고 글을 쓰게 되는 경우가 태반입니다. 그러니 너무 나무라지 마시고 읽어주세요.

이번 주제는 너무나 어렵습니다. 왜 이런 주제를 택했는지 지금도 모르지만 '열두 번째 러브레터' 마치고 나서 바탕화면 한글 문서에 '열세 번째 제목을 '진리'라고 적었습니다. 적으면서도 참 무모한 주제이고 쓰는데 어렵겠다는 생각은 했습니다. 얼른 머리를 굴려보니 내용도 별다르게 떠오르지 않아 마음이 무거웠습니다. 그렇다고 다른 제목으로 바꾸자니 약간의 양심적 비겁함이 느껴졌고 뭐라도 해 봐야지 하는 오기도 생겼습니다.

소크라테스, 플라톤, 아리스토텔레스로 이어지는 서양철학사의 계보가 떠오르고 스피노자, 피타고라스 같은 수학적 색채를 가진 철학자의 손길이 느껴졌습니다. 한국인으로는 이이, 이황, 정약용과 조선 후기 북학파 이덕무, 박지원과 우리 지역 기대승이 떠오르는 안심도 잠깐이고, 마음속 깊이 뭔가 심오함이 보여 주춤했습니다. 그렇지만 진리는 진실, 참, truth라는 말과 같아 이것으로 맞춰가면 되겠다는 생각이 들었습니다. 저번 편지에 언급된 '정의', '죽음의 단상'은 단어가 비교적 무겁다 해도 내 경험을 풀어놓은 것이라 중압감에 비해 조금 가벼웠다 할 수 있지만, 어쨌든 진리라는 주제를 가지고 지면을 채우는 것은 쉽지 않아 더욱 서투르다는 점 미리 밝힙니다.

▸ 자랑질

오늘은 자랑으로 시작합니다. 자랑하려니 좀 그렇지만 예쁘고 착한 마누라나 얘들 이야기가 아니니 거북하더라도 적어내려갑니다. 지난 10월 1일 금요일이었습니다. 점심 먹으러 가기 바로 전에 엄마한테 전화했습니다. 통상 엄마하고 통화는 길지 않습니다. 엄마의 나이가 있어 아프냐고 물어보게 되면 모든 곳이 아픈 엄마가 설령 아프다고 해도 내가 어찌 해줄 수 없어 걱정은 되지만 큰일이 아닌 이상 그런가 보다하고 이런 질문을 자제하다 보니 묻는 것도 공식화되어 있습니다.

어디요? 점심은 먹었단가? 하루 잘 보내고. 이런 식으로 물어보면 엄마의 대답도 응, 알았다. 식이어서 평균 통화 시간은 30초를 넘기지 않는 것이 대부분이고, 1분간의 통화는 긴 통화로 연례행사입니다. 여자 형제가 없는 것도 한 이유가 될 것이지만 엄마도 자잘한 것을 늘어놓는 성격도 아니고 또한 해봐야 나에게 답을 얻을 수 없다는 것을 경험적으로 알고 있고, 통화 시간이 길면 통화료가 많이 나온다는 예전의 습관도 한몫하고 있다 생각하지만, 어쨌든 통화는 숨 한번 들어 마시기도 전에 끝납니다.

그날도 그렇게 통화를 마칠 즘 누구하고 같이 있다는 느낌이 있었습니다. 통화 내내 약간의 소음이 있었고, 내가 통화를 마치고 숨을 들이쉴 무렵 옆에 있던 할머니 목소리가 들려 왔습니다. “엄마 방금 장관상 받았어”라는 목소리가 전화선을 타고 내 귀에 들어왔습니다. “뭔 일이다요?” 엄마에게 물어보니 “주변 할망구들이 쓸데없이 추천해갖고 상 받았다”라고 했습니다.
노인의 날을 맞아 보건복지부 장관상을 받은 것입니다.

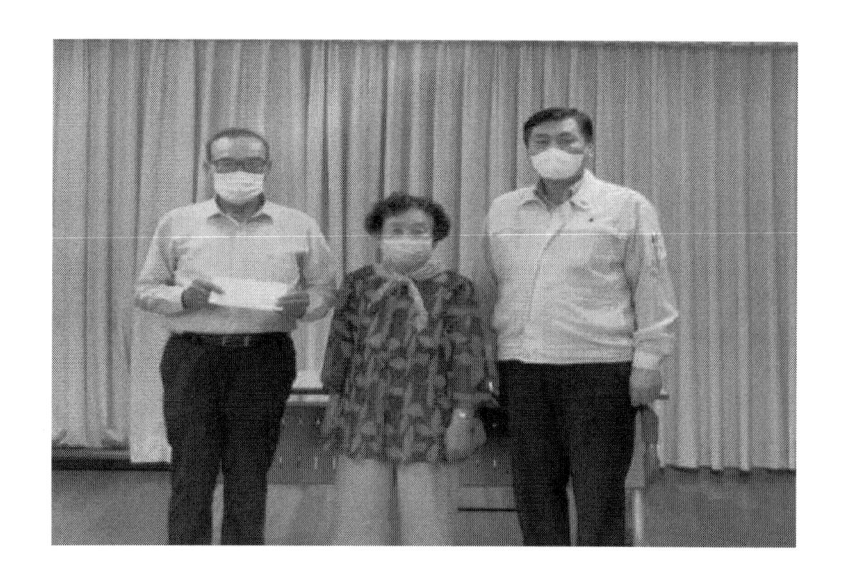

제가 첨단1동에 근무할 때 보면 상을 받는 절차는 대체적으로 이렇습니다. 행정복지센터에서는 지역발전, 주민복리, 민원해결 등의 협의를 위하여 여러 단체와 협력관계를 가지고 있습니다. 주민자치회, 지역생활보장협의체, 통장단은 공통적으로 있는 단체이고, 동

(洞) 여건에 따라 학생사랑협의회, 새마을부녀회, 둘레길보존회, 마을축제추진협의회, 지역발전협의회, 상인회 등 여러 단체가 있습니다.

매달 1번씩 구청에서 구청장 표창 추천이 오고 어떤 때는 업무 성격에 따라 관련 부서에서 구청장, 시장 훈격의 표창 추천이 오게 됩니다. 그러면 공이 있는 단체나 개인에 대하여 추천하게 되지만 각 단체에서는 여러 가지 이유로 자신이 속한 단체에서 상장을 받게 되었으면 하는 마음을 가지고 있습니다. 그래서 훈격이 높아질수록 경쟁이 치열해지고, 추천하는데도 여간 신경이 쓰이게 마련입니다.

저는 엄마가 평소에 이웃을 위해 자그마한 선행을 해 오고 있음은 알고 있었습니다. 겨울에 할매가 불도 안 때고 산다고 하면서 온돌매트를 사다 주고, 옷 입는 것이 미친년 같다고 싸구려 몸빼바지 하나 사주고, 얼마 전에는 병원에 입원했는데 같은 병실에 입원한 젊은 것이 돈이 없다고 징징거려서 10만 원을 줬다고 한 것도 알고 있습니다. 동네에서 불우이웃돕기 행사를 하면 김치전 한 점 먹고 적지만 몇만 원의 돈을 지불해 부녀회원들로부터 "언니 고마워"라는 말을 듣고 있음을 알고 있으며, 이렇게 저렇게 약간의 나눔을 해오고 있었습니다.

그리고 작년에는 가지고 있었던 1,000만 원을 털어서 주변에 없는 사람 몇 명에게 20~30만 원씩 나눠주고 나머지 780만 원은 동사무소에 노인발전기금으로 지정기탁한 사실은 1년이 지난 올해 신문 기사를 보고 알았습니다. 그리고 이번에 보건복지부 장관상을 탄 결정적인 이유가 있었음을 후에 할머니들에게 들었습니다. 장관상을 추천한 사람은 할머니들이었습니다.

우리 동네 경로당에는 23명의 어르신이 계십니다. 경제적 수준으로 보자면 엄마는 중간 내지는 그 이하입니다. 그런데 몇 년 전 엄마가 경로당 어르신들에게 1인당 30만 원씩을 나누어 주었다고 합니다. 저는 보편적 복지에 대해 제한적인 의견을 가지고 있지만, 이 행동은 보편적 나눔인 것 같습니다. 아니 잘 사는 할머니들도 많은데, 정 주고 싶으면 못 사는 어르신 몇 명만 한 5만 원씩 주지 그랬냐 그랬더니 아이고 못사는 것들 줄라고 했는데 옆에 있고 그래서 다 주었고 그냥 주고 싶었다고 합니다. 시기가 잘 들어맞아 할머니들에 의해서 장관상 후보로 추천됐고 어르신들은 의도치 않은 미리 받은 뇌물(?)이 있어서 별다른 반대 없이 장관상을 받게 되었다는 겁니다. 외벌이로 5명 가족의 생계를 책임지는 나의 입장에서는 처음에는 좀 아까웠지만 가만 생각해 보니 지금의 내가 평안한 것이 그러한 것이 일조하지 않았나 하는 생각이 들며 감사했습니다. 그리고 아이들한테도 "우리 이런 집안이야"하고 큰소리로 으쓱해 보았습니다.

▸ 진리의 친구 나눔

제가 엄마의 이야기를 너무나 길게 풀었습니다. 이유는 있습니다. 진리를 말하기 위해서입니다. 나눔을 말하기 위함입니다. 나눔은 자신의 생각을 올바르게 실천하는 행동입니다. 진리는 말이 적어야 하고 행동이 앞서야 합니다. 누가 말하지 않아도 스스로 말없이 인간 본성대로 움직이는 게 진리입니다. 진리는 참과 거짓으로 나누었을 때 참이 진리고 거짓이 진리가 아니라는 이분법적 적용을 받지 않습니다.

민족마다 종교, 문화, 관습에 대한 전통이 있습니다. 힌두교에서는 소가 신성하여 먹지 않고, 이슬람교에서는 돼지에 악귀가 있다 하여 먹지 않습니다. 신성하다고, 어떤 것은 악귀가 있다고 먹지 않습니다. 우리나라는 고려시대에는 불교, 조선시대에는 유교 국가입니다. 이런 이유로 조선시대에는 효를 최고로 여겨 예를 지켜 제사를 지냈습니다. 이후 기독교가 들어오게 되고 그 가르침의 첫째는 나 이외의 신을 믿지 말라는 것입니다. 제사를 중시하는 당시의 문화와 기독교의 제사를 금하는 문화가 충돌되는 영향과 대원군의 쇄국정책 등 많은 이유로 천주교 사제, 신자가 핍박받게 되었습니다.

지금 세계 다양한 곳에서 벌어지는 전쟁의 60~70%는 종교분쟁으로 인한 것입니다. 자신들이 참이라 믿는 진리를 위하여 많은 대중의 피를 흘리게 하고 있는 것을 보면 진리에 있어서는 참과 거짓의 구별이 없는 것 같습니다. 그래도 진리의 판단에 대하여는 구체적이고 세부적이지 않지만, 사람이 고유하게 가진 품성에 의존하게 됩니다. 그런 이유로 진리의 가장 친구는 타인의 불행에 아파할 줄 알고 실행에 옮기는 나눔이 아닌가 생각합니다.

▸ 진리의 적 교만

진리의 가장 대척점에 있는 것은 교만입니다. 사람은 여러 가지 태생적 욕심을 가지고 있습니다. 권력을 가지고 싶고, 명예를 가지고 싶고, 외국인과 유창하게 영어로 말하고 싶고, 좋은 인간관계를 가지고 싶고, 예쁘고 착한 여자를 아내로 맞이하고 싶고, 백마 탄 멋진 남자를 만나고 싶고, 몸짱이 되고 싶고, 능력 있고 일 잘하는 직장인으로 평가받고 싶고, 축구도 잘하고 싶고, 서핑도 잘하고 싶고, 잘 생기고 싶고 아니면 돈이라도 많아 잘 고치고 싶고, 남보다 먼저 승진하고 싶고, 살기 편한 곳에 좋은 집 사고 싶고, 갑자기 돈벼락에 맞는 로또에 당첨되고 싶고. 그러나 이러한 욕심을 채우기 위해 반드시 필요한 것이 있습니다.

다독임보다는 시기를, 칭찬보다는 질투를, 관용보다는 노여움을, 평온보다는 분노를, 타협보다는 경쟁을 가져오게 됩니다. 이러한 욕심 가운데 최고봉은 교만입니다. 자기의 조그마한 성과를 크게 만들고, 없는 것을 있는 것처럼 얘기하고, 자기의 능력이 최고인 줄 알고, 본인만이 문제를 해결할 수 있다 생각하고, 남을 업신여기고 내가 없으면 조직이 없어질 것이라 믿고, 나 아니면 안 된다는 생각을 가지고 있는 것이 교만입니다.

시기, 질투, 노여움, 분노, 경쟁은 대상자가 없어지거나 몸이 쇠약해져 죽음을 앞에 둔 경우 대부분 작아지거나 소멸하게 되지만, 교만만은 언제나 내 몸에 딱 달라붙어 있어 어떠한 외부 충격에도 굳건합니다. 어지간해서는 간에 기별조차 안 갑니다. 교만은 내 몸에 있어 죽음으로만 바꿀 수 있는 것 같습니다. 죽음 이외에 교만을 줄이는 방법은 여러 가지가 있을 수 있습니다. 그러나 주위에서 비교적 쉽게 찾을 수 있는 방법은 선(善)으로 행(行)하는 겁니다. 인간의 본성이 타인을 배려하는 것이라 한다면 그것에 기초하여 행동하는 것이 진리라 할 수 있지 않을까요? 제가 생각하는 것은 최소한 그렇습니다.

▸ 진리는 무엇인가

진리(眞理)는 글자 그대로 해석하면 '참된 이치'입니다. 자연의 질서에 순응하여 살아가는 거라고 할 수 있습니다. 그런데 이게 그렇게 어려운 것 같습니다. 세상사에 순응하여 살라고 하면 노력으로 과락은 면하겠는데 '참된 이치'라는 게 그저 사람의 착한 마음이 가는 대로 행동하는 것이라고 의미 되는데 지혜가 짧고 세상의 이치에 더 밝은 저로서는 도무지 무엇인지 가늠조차 할 수 없습니다. 그래서 고민하다 지식 탐구의 최고봉이라 할 수 있는 대학의 교훈을 살펴보았습니다. 그러한 과정에서 진리가 얼마나 중요한지 얼추 짐작되었습니다.

우리나라 최고 대학이라 불리는 SKY의 교훈에는 모두 '진리'를 담고 있습니다. 서울대학교의 교훈은 '진리는 나의 빛', 고려대학교는 '자유, 정의, 진리'이고 연세대는 '진리가 너희를 자유케 하리라' 입니다. 서강대는 '진리에 순종하라', 한국외국어대는 '진리, 평화, 창조'이고 서울시립대는 '진리, 창조, 봉사'입니다. 이 지역의 터줏대감 격인 전남대는 '진리, 창조, 봉사'이고, 순천대는 '진리, 창조'이고, 우리 지역 광주보건대는 '진리, 평화, 자유'이고 세계적인 대학 하버드대의 교훈도 '진리'를 담고 있습니다.

이외에도 많은 대학교에서 진리를 교훈이나 비전으로 택하고 있을 것 입니다. 이렇듯 진리에 대해서는 구체적이지 않지만 뭔가 지식을 탐구하는 자가 얻어야 할 최고 수준의 무엇이라고 할 수 있습니다. 많은 학교에서 진리를 교훈으로 택하는 것은 인간이 학문적 연구를 통하여 얻고자 하는 최종적인 목적지가 아닌가 하는 생각입니다. 이처럼 진리는 어려운 것 같습니다. 그래서 진리에 대한 말들은 무성하지만 쉽게 생각이나 손에 잡히지 않는가 봅니다.

▸ 진리의 사상

베스트셀러 「지적대화를 위한 넓고 얕은 지식」의 저자 채사장은 진리의 관점을 2가지로 보고 있습니다. 범아일여(우주와 내가 하나)라는 콘텐츠를 가지고 있는 동양적 사상과 절대성, 불변성, 보편성을 갖는다고 하는 서구적 사상으로 나누어 보고 있습니다. 제가 생각하기에 서구적 사상의 절대성, 불변성이라고 표현함은 진리가 예수 그 자체를 말하는 이유이지 않을까 하는 생각입니다. 니체는 우리의 삶은 진리를 위한 삶보다 삶을 위한 진리이어야 한다고 하면서 변하지 않는 진리는 없다고 하여 진리의 절대성을 부정하였습니다. 즉 좋은 것 자체가 진리라는 생각은 오류라고 하여 진리가 반드시 참이 아니라는 나의 생각에 한 표를 던져 주었습니다.

채사장이나 니체의 주장을 빌어보면 진리라고 하는 것은 언제나 참만을 말하는 것이 아니고 그 시대의 사회상, 문화, 방향성의 영향을 받아 변화하는 것이라 할 수 있고 이에 따라 우리가 추구하는 진리도 변할 수 있는 만큼 학문의 체계를 완성하거나 철학적 판단을 종결하고자 하는 특수한 자가 아니면 진리에 대하여 유동적인 생각을 갖는 것이 나의 삶을 더 좋게 만들어가지 않을까 하는 생각을 가져 봅니다. 그렇다면 사회적 합의인 규칙을 지키는 것이 진리에 다가서는 길이지 않나 싶습니다. 규칙은 변하고 시대상을 반영합니다. 전략이 아니고 전술입니다. 고정적이 아니고 유동적입니다. 이 규칙의 시스템을 잘 마련하는 것이 진리에 가까운 것임은 의심하지 않아도 될 듯합니다.

사회적 합의를 지키지 않아 사회를 어지럽게 하는 경우도 더러 있습니다. 분유를 생산하는 남양유업은 손녀의 마약 문제로 시끄러워지자, 회장직에서 물러난다는 거짓으로 극복하고 경쟁사를 비방하는데 그치지 않고 이제는 육아에 들어가겠다는 여자 직원을 협박하고 해고하는 사태에 이르렀습니다. 쇼트트랙 국가대표인 심석희는 올림픽 경기에서 같은 팀 선수를 고의로 밀쳐 메달 획득을 저지하는 생각지도 못할 일을 대표팀 코치와 협의하는 등 그 생각이 도를 넘어섰습니다. 이러한 일들은 타인을 생각하고 배려하는 진리를 거스르는 일입니다. 우리가 꾸준히 공부하고 배워야 할 것이 세상의 이치입니다.

▸ 에필로그

가을에 푹 빠졌습니다. 간간이 매서운 바람이 옷을 뚫고 길가의 나무들은 청명한 녹색을 걷어내고 울긋불긋 시선을 멈추게 하고 어떤 나무는 부끄러움을 떨쳐버리고 나신이 되었습니다.

11월에도 해야 할 일들이 많습니다. 내년도 업무계획도 보완하여야 하고 여러 가지 일들이 만만치 않습니다. 위드 코로나에 발맞춰질 수 있도록 직원들의 예지력, 상상력도 필요합니다. 우리는 업무를 추진하면서 가끔 방향 설정을 합니다. 그 방향이 현재는 위드 코로나로 종결되지만 구체적인 내용은 부서마다 업무마다 다릅니다. 저는 개인적으로 우리가 맞추어 나가야 할 가장 중요한 포인트는 경제라고 생각합니다.

우리가 이 직장에 머무르는 것도 경제 순환 고리의 한 부분을 성실히 지키기 위한 것이고, 먹고 사는 것 자체가 경제입니다. 내년에는 대선 및 지방선거가 있습니다. 경제가 좋았든 좋지 않았든 지금까지의 대통령이나 자치단체장 중에 경제를 우선시하지 않은 지도자는 없었습니다. 치열해지는 국가 간의 경쟁의 시대에 사는 현실에서는 앞으로도 분명 더욱 그럴 것입니다. 못 사는 것을 극복하기 위해서 더 잘 살기 위해서 지도자는 경제를 외칩니다.

이러한 연유로 당연히 국가 경제 부서에 인재 집중 현상이 나타납니다. 고시 패스 1번이 선호하는 곳이 돈을 다루는 기획재정부입니다. 이들의 파워는 실로 엄청납니다. 장관 나리들을 호통하는 그 위대하신 국회의원 나리들이 5급 담당 실무자들에게 머리를 조아리는 곳이 기획재정부입니다. 이렇게 예산을 확보하게 되면 대로변에 '○○○ 국회의원 도로 건설에 ○○억 확보'라고 커다란 현수막이 붙게 됩니다. 10이란 돈을 100처럼 쓰는 게 경제의 효용성을 높이는 거라 하지만 공무원의 공적 활동으로 100이란 돈을 10만큼의 효용을 가진다 하더라도 단순 수치를 벗어나 공공성, 대중성, 나눔 등 인간 본성이 가진 타인에 대한 배려를 대신하여 주는 대체성이 있어 국민들의 암묵적 지지를 받습니다. 그래서 계획에는 경제에 대한 상상력이 필요하고 여기에 공무원은 특히 지방공무원은 시민에 대한 공감, 균형감각이 더해지게 되도록 요구받고 있습니다.

올 10월은 유난히 머리를 혼란하게 하는 사건들이 떨어지는 낙엽처럼 수북합니다. 제가 쓴 진리라는 글로 머리를 어지럽게 해 드려 낙엽이 더 수북함을 느낍니다. 제가 쓴 글 맞다 아니다 하지 마시고 본인만의 생각을 가다듬어 보는 것도 자신을 위하여 필요하다는 생각입니다. 각자의 생각을 정리해 보는 10월의 끝자락이 되시길 바랍니다.

[열네 번째 러브레터]

협력(協力)

(2021.12.27)

협력(協力)

사람들은 버겁고 힘들 때 새가 되어 날고자 한다. 하늘을 나는 새를 보며 나도 저렇게 날아봤으면 하는 소망을 새긴다. 새는 푸르고 하얀 끝없는 하늘의 도화지에 흔적을 남기지 않는 부드러운 곡선을 그린다. 그래서인지 그렇게나 큰 비행기도 하늘을 나는 동안에는 작아 보이고 앙증맞은 동심에 맞닿아 있다. 새가 되고자 함은 답답한 현실을 뛰쳐나가고 싶기도 하고 답보적인 일에 무력감이 들고 지루한 일상을 깨뜨리고 싶을 때 더해지는 바람이다. 요즘 왜 그런지 새가 되고 싶다.

11월 중순부터 시작된 4차 추경, 의회 행정 사무감사, 내년도 본예산 심의가 한 달이 넘는 여정으로 마무리되었다. 직접 경험이 없었고 순발력 부족을 여실히 느끼며 한순간을 버텨왔다. 그래도 기본에 충실해야 한다는 것과 알아야 풀어 먹을 수 있음을 느꼈다. 조선 후기 머리가 나쁘기로는 1등인 김득신이 이를 극복하기 위하여 사기열전의 「백이전」을 11만 3천 번을 읽었고 보통 책은 수천 번 이상을 읽었다는 사실을 잠시 떠올렸다. 마음에 돌덩이 같은 큰 부담감을 지니진 않았으나 그래도 나름의 긴장감과 일의 마침에서 느끼는 아쉬움이 남아있다.

답변과 대비를 위한 공부를 하면서 평상시의 일이라고 하지만 모르는 것에 대한 반성이 있었고 본질에 대한 고민이 있었다. 의원의 질의를 통해 시민들이 바라는 것이 무엇인지도 알게 되어 삶의 일부분을 새로 얻어내게 된 것은 좋은 행운이었다. 그래도 그러한 것은 뒷전이고 내 생각을 펼치지 못해 머리가 답답하고 입은 먹는 데로만 쓰이고 있다는 생각에 잠시 멍해졌다. 그래서 새처럼 날고 싶어졌다.

사람은 혼자 있을 때 자유롭다. 주위에 누가 없으니 생각이 자유롭고 누더기를 걸친다 하여도 시선을 바로 둘 수 있습니다. 잘못한 것을 나무라지 않아 책잡힐 일도 없고, 늦는다고 타박들을 일도 없고, 부족한 것을 몰라도 마냥 좋고, 무엇보다 비교되지 않으니 행복하다. 사무실에서도 생각해 보면 남과 구분되어 있는 게 마음이 편합니다. 내 책상도 직원분들과 파티션으로 막아져 있어 서로가 조금은 편하고 팀장과 팀원 간에도 용도가 다르지만 책이라도 쌓아 놓아 막아져 있으니 심리적 안정감이 있습니다. 나만의 자유가 보장되는 느낌입니다.

사람들은 누구나 기본적인 생활을 위하여 경제활동을 합니다. 꼭 돈을 버는 목적이 아닐지라도 나무를 찍어 내다 팔고 상추를 심어 길러냅니다. 할 일 없이 하루를 살아간다 할 지라도 숨을 들이쉬고 내쉬는 육체적 활동을 통하여 생활을 이어 나갑니다. 그래도 가장 일반적인 형태는 직장생활입니다. 그러나 태생적으로 수천 년간 자유로운 생활을 하도록 진화된 사람이 경제성장과 함께 시작된 직장생활은 자유와 생각에 대한 희생을 강요받게 되고 같이 지내게 됨은 스트레스에 진입하는 길목에 있습니다.

우리는 광산구청 직원의 한 사람입니다. 부단히 노력해서 일원이 되었고 공적인 일을 하는 데서 얻는 보람도 있지만 이 과정에서 여러 가지 힘든 일을 경험하게 됩니다. 여러 사람과 싫고 좋음에 상관없이 그들과 좋은 관계를 유지하려 애쓰는 것이 첫 번째입니다. 우리 조직은 약 1,500명의 직원이 일하고 있습니다. 이런저런 관계를 맺고 있는 숫자를 합하면 2,000명에 이릅니다. 지역 내에서 이 정도 직원의 숫자를 보이는 직장은 찾아보기 힘듭니다. 광산구청 조직은 보통 4~5명이 한 팀을 이루게 되고 4~5개 팀이 과를 이루고 다시 4~5과가 모여 국을 만듭니다. 이 중에서 가장 기본을 이루는 것은 '팀'입니다. 사람이 사는 세상에서 가장 기본적인 단위가 각 개인이 아닌 가족인 것과 같이 조직 내에서 가족의 역할을 하는 것은 팀입니다. 가족은 한 울타리 안에서 생활하고 각 개인이 사회로 나가 자신의 능력을 발휘할 수 있도록 학습하고 경험을 쌓도록 도와주는 중요한 역할을 하게 됩니다.

조직 내에서의 팀도 마찬가지입니다. 자신에게 맞는 역할을 부여하고 함께 목표를 지향해 나갈 수 있도록 하는 것이 팀이기 때문입니다. 그래서 서로 간의 마음이 열리고 협의해 나가는 과정이 중요한 것이라 여겨집니다. 현재의 구청장님이 취임하면서 팀 또는 과 간의 협력을 강조합니다. 그 이전에도 협력을 강조하는 구청장이나 직원들은 많았으나 이번에는 유난하다 할 정도입니다. 그만큼 구정에 대하여 잘 알고 있다는 느낌입니다. 직원의 입장에서 역으로 생각하면 직원들이 자신의 일에 대한 전문적인 지식과 자부심을 가지고 있다고 생각해 보게 됩니다. 그러나 구정을 아우르는 구청장의 입장에서는 이런 게 여간 거슬리는 것인가 봅니다. 그렇다하더라도 담당자의 입장에서 협력은 너무 어려운 것 같습니다. 그냥 이야기하고 대화하는 것에서 멈추는 것이 아니라 협력을 하게 되면 주관 부서를 정해야 하고, 팀원의 협조를 얻어내야 하기 때문에 망설여지고 잠깐 멈추다 보면 시간이 해결해 주기를 기대하는 경우가 많습니다. 협력(協力)을 한자로 살펴보면 열 십(十) 자에 힘력(力)자가 4개나 있는 걸 보면 서로가 얼마나 힘을 쓰고 또 써야 협력을 얻어낼 수 있는지 알 수 있습니다. 그렇게 힘든 것이었나 봅니다.

'팀'제에 대해서 이야기합니다. 시기가 정확하진 않지만 제가 초창기에 근무하던 때부터 2000년 초반까지는 공무원 조직에서 팀이란 말은 들어보지 못했습니다. 당시에는 계(係)라는 직제가 있었고, 그 장(長)을 계장(係長)이라 했습니다. 또 그 이후 어떤 때는 담당이라고도 했습니다. 지금의 팀장입니다. 어느 순간부터 팀이라는 조직이 등장했고, 지금은 계라는 조직보다 일반화되어 있습니다. 광주시를 보면 시청, 서구청, 광산구청에서는 팀제로 동구는 계로 남구는 우리 조직의 팀장을 주무관으로 정하고 있지만 부를 때는 계장이라 합니다. 팀제로 바꾼 이유는 여러 가지가 있겠지만 직원들 서로 협력하여 책임감 있게 하나의 목표를 달성하라는 의미가 있는 것 같습니다.

그런데 온전히 제가 생각하는 팀제는 계라는 조직과 확연히 다른 것 같습니다. 현재 우리 구의 팀은 여러 명의 팀원으로 이루어지고 그 장을 팀장이라 합니다. 팀장은 보직 팀장이 맡고 있고 팀원은 무보직 팀장과 7급 이하 팀원으로 구성되어 있습니다. 그런데 형식은 이렇다 하더라도 원래 가진 팀의 기능은 이와 조금은 다른 것 같다는 생각입니다. 과장부터는 연봉제를 도입 시행 중이고 이것을 팀장까지 확대하려고 하고 있고 성과급제를 도입하여 일부이나마 하위 직급이 바로 위 직급보다 더 많은 성과급을 받고 있는 사실 등으로 판단해 보면 팀제로 전환한 이유는 직급에 상관없이 팀에 맡겨진 일을 가장 잘 이끌어 갈 수 있는 팀원이 팀장이 되도록 하고 있습니다.

그래서 7급이 그 능력을 가지면 팀장이 될 수 있고, 6급은 팀원이 됩니다. 공적인 일을 수행하고 능력치를 수치로 나타내기 어려운 우리 조직의 현실에서는 어렵다고 생각되는 일이기는 하지만, 민간 기업의 사례를 가져다 붙이면 가능한 일이기도 합니다. 어쩌면 그것을 시험하는 단계도 아닌가 하는 생각도 듭니다. 직원 간의 내부 경쟁 시스템을 만들어 가고 있습니다. 그렇지만 공무원 조직 내부에서조차 계와의 차별성을 느끼지 못하고 민원인 및 직원 만족도 또한 떨어진다는 조사 결과와 함께 노조에서도 꾸준히 반대하고 있습니다.

이러한 이유야 어찌 되었든 제가 생각하는 팀제의 가장 중요한 기능은 이렇습니다. 계라는 조직에서는 자신이 맡고 있는 일에 한하여만 책임을 지고 있지만 팀제에서는 모든 일에 대하여 함께 고민하고 함께 해결해 나가야 하기 때문에 팀장은 모든 팀원이 행하는 일에 대한 무한 책임을 가지게 되고 팀원 또한 자신에게 부여된 일뿐만 아니라 타 팀원의 일까지도 챙겨야 된다는 것이 계라는 조직과는 완전히 다른 형태입니다. 명칭이 계에서 팀으로 바뀐 게 중요한 게 아니라 그 내용과 형태가 바뀌었다는 겁니다. 팀제라는 제도가 우리의 현실에 맞지 않는다 하여도 어쩌면 우리가 협력하여야 하는 주된 이유이기도 합니다.

우리가 협력해야 하는 이유를 간접적 사례, 경험을 통해 살펴보아 이해를 넓히고자 합니다. 지역감정을 선거에 이용하려는 세력과 자신과 자신이 속한 조직의 이익을 채우기 위한 술수는 인간이 사회생활을 위하여 필연적으로 만들게 되는 집단주의를 자신의 입맛대로 잘 자극하여 발전된 민주주의 시대 임에도 불구하고 지역감정의 골을 더욱 깊어지게 하고 있고, 선거를 앞둔 이때는 그 정도가 더 합니다.

그러나 다행히도 민주주의 정신을 가진 많은 사람의 요구와 시대정신에 의하여 지방자치단체에서는 여러 가지의 방안을 제시하고 있습니다. 호남과 영남의 중심지인 광주와 대구를 연결하는 달빛내륙철도 건설을 대표적으로 들 수 있습니다. 단순하게 두 지역을 연결하는 교통시설이라는 사실을 넘어 지역 간의 보이지 않는 경계를 허물고 이 나라의 고유하고 하나 된 정신을 함께 하고자 하는 더 큰 의미를 담고 있다고 할 수 있습니다.

광주와 대구는 민주주의 도시라는 측면에서도 닮아있습니다. 광주는 1980년 5·18 민주화 운동 기록물이 세계기록유산으로 등재되어 있는 살아있는 민주주의 중심 도시입니다. 대구는 1960년 이승만 독재정권에 대항하여 대구지역 고등학생들이 중심이 되어 일으켜 4·19 혁명의 도화선이 된 2·28 민주운동이 있습니다.

이 운동은 5·18 민주화 운동과 같이 국가기념일로 지정되어 있습니다. 양 도시 간의 교류와 민주주의 상징성을 알리기 위하여 대구에는 518번 버스가 운행되고 있고, 광주에는 5·18 사적지를 중심으로 계엄군 민간인 학살지인 주남마을, 옛 전남도청, 4·19 기념관이 있는 광주고등학교 등을 경유하는 228번 버스가 운행되고 있으며, 한 달 전에는 2038하계아시안게임 광주·대구공동유치위원회를 출범시켜 그 의미를 더해가고 있습니다. 또 다른 좋은 협력 사례는 코로나의 위험에서 벗어나고자 스스로 경제활동 멈춤으로 희생을 감내하는 많은 소상공인과 방역 수칙을 성실히 따르는 다수의 국민, 그리고 의료진들의 노력, 가난한 나라에 백신을 제공하거나 공유하는 인도주의적 지원이 있습니다.

광주고등학교 내에 있는 4·19민주혁명역사관

대구 2·28민주운동을 기념하여 운행 중인 광주228번 시내버스

협력은 하나가 아닌 둘 이상이 균형을 맞추어야 합니다. SNS도 '좋아요'라고 반응해 주어야 지속할 수 있고, 밥을 먹을 때도 숟가락만으로 먹을 수 없어 젓가락으로 이것저것 집을 수 있어야 맛있게 먹을 수 있고, 사람을 멍청이로 만들어 버리는 TV는 라디오로 상상력을 높여야 하고, 사랑과 우정도 상대방이 있어야 하고, 출·퇴근 시에는 버스와 지하철 기사가 필요하고, 마당극에서는 관객이 얼쑤, 지화자 하고 응답을 해줘야 제맛이 나듯이 우리가 일상생활을 하는 데에 있어 나도 모르는 사이 협력을 하고 있고, 그래서 더욱 협력이 필요하다는 생각입니다. 그렇지만 모든 것이 협력한다고 좋은 건 아닙니다. 협력도 잘해야 할 것 같습니다.

세계 역사에 큰 오점을 남긴 제1, 2차 세계대전은 자국의 이해와 맞물린 좋지 못한 협력 사례입니다. 전쟁 발발 이유와 상관없이 제1차 세계대전은 영국, 프랑스, 러시아 대 독일, 오스트리아의 싸움이었고, 제2차 세계대전은 영국, 미국, 소련, 중국의 연합군대 독일, 일본, 이탈리아를 중심으로 한 주축국 간의 싸움이었습니다. 어떤 때는 이 나라와 어떤 때는 저 나라와 손을 잡고 소수의 이익을 위하여 일으킨 전쟁은 아무런 이유 없이 내몰린 수많은 사상자를 낸 인류 평화를 저해한 인류 최악, 최대 규모의 사건이었습니다. 이런 일은 다시는 일어나지 않아야 하겠다는 교훈을 얻었다 하지만 너무 큰 상처이고 이런 역사적 사실을 마주하게 되면 참담한 마음을, 감히 꾸짖지 못한 무거운 마음을 가지고 있습니다.

요즘에는 미국과 중국 간의 갈등으로 주변국은 눈치 보기가 심합니다. 일부 유럽 국가는 미국의 2022년 동계 베이징올림픽 보이콧에 동참을 선언했고 우리나라는 올림픽 참가를 선언했지만, 곁눈질하고 있습니다. 정치와 스포츠는 별개 행위임을 누구나 잘 알고 있지만 현실은 그렇지 않은가 봅니다. 이런 게 진정한 의미의 협력은 아닐 텐데 말입니다. 저는 이러한 사실을 통하여 우리가 공적인 일을 하면서 우리가 향하고자 하는 지향점을 누군가가 아니라 시민에게 두어야 한다는 것에 더욱 굳건함을 가집니다.

레밍과 스프링고우트라는 동물이 있습니다. 레밍은 쥐과 동물이고 스프링고우트는 아프리카에 사는 염소 떼의 별칭으로 두 동물 모두 맨 앞에선 무리를 따라가다가 절벽에서 떨어져 죽는다는 공통점을 가지고 있습니다. 그래서 우둔한 성격으로 아무런 생각 없이 따라 하는 사람을 일컬을 때 비유되곤 합니다.

2017년 최악의 물난리가 났을 때 충북도의원들이 외유성 유럽 여행을 떠난 사실을 국민이 비판하자 한 도의원이 국민을 레밍에 빗대어 큰 물의를 빚은 적이 있습니다. 이 도의원은 국민이 물난리 때 이를 돌보지 않고 놀러 간 사실을 비난하자 국민이 아무런 생각 없이 맹목적으로 자신을 비난하는 집단행동에 동참했다는 의미로 발언하였습니다. 시민들이 자신을 대신하여 책임감 있게 일해 달라는 약속을 배신한 아주 일방적이고 권위에 가득 찬 오만한 행위입니다. 시민의 아픔을 바라보지 않고 자신의 편안함과 이익을 위하여 앞만 보고 달리는 행위입니다. 그런데 참 아이러니하게도 최근 그 도의원의 행태를 보면 우리가 하는 말로 더 잘 나가고 있는 것 같습니다. 어떻게 설명이 되지는 않습니다.

경주에서 이기기 위하여 경주마에게 안대를 씌워 곁눈질을 못하게 하고 앞만 보고 달리게 합니다. 기수는 경주마가 주변의 상황을 판단하는 능력을 빼앗고 맹목적으로 앞으로만 달려 나가도록 채찍을 휘두릅니다. 우리는 생각과 판단을 하는 사람으로 그런 경주마가 되어서는 안 될 것입니다. 가다가 옆을 보아 힘들고 지쳐 도움이 필요한 사람에게 따뜻한 손길을 내미는 협력적 사고를 지닌 우리가 되었으면 합니다.

직장 내에서는 직원마다 자신이 맡은 역할이 있습니다. 자신이 맡은 일이 좀 어렵고 중하다고 생각되는 일이 있을 수 있고, 어떤 직원은 비교적 여유를 가지고 할 수 있는 일이라고 생각되는 일도 있습니다. 그러한 것은 분명 존재하지만, 우리 조직 내에서 하는 일을 각 직원의 능력, 특성, 좋아하는 분야, 직급, 성취도에 맞춰 업무분장 한다는 것은 어려운 일입니다. 내부적으로 좀 맞지 않고 내가 손해 본다는 생각을 가질 수 있지만 팀의 모든 일이 나의 일이라는, 좀 상투적이라 하더라도 팀제의 특성을 바라보면 조금은 마음 편하지 않을까 싶습니다. 어려운 일을 수행하면 누구라도 말은 삼가더라도 머리로는 느끼고 있는 것이 위안이 될 수 있습니다. 생각하는 것은 누구나 같기 때문입니다. 우리 몸은 머리, 손, 발,

코, 입이 있고 맡은 바 기능을 잘해야 건강합니다.

직장에서도 직원에 따라 그 역할이 주어집니다. 내가 열심히 해놓은 일을 과장이 먹기만 하는 입 역할을 한다고 해서 비난해서는 안 될 것입니다. 먹어야 그 기운으로 손과 발이 움직이고 머리로 옳은 판단을 하게 됩니다. 또한 일순간 귀가 잘 듣지 못하거나 발이 게을리 걷는다고 하여 비난하지도 말아야 할 것입니다. 비난을 받으면 몸은 고통스러운 신음 소리를 내게 되고 눈에서는 눈물이 납니다. 그러나 일 순간을 참아내고 이해하게 되면 눈물이 웃음으로 바뀌게 되고 건강한 몸이 됩니다. 나를 낮추고 겸손하면 상대방은 오히려 나를 높여주려고 하지만, 스스로를 높이려고 하면 상대방은 오히려 낮추려고 하는 게 자연의 이치입니다. 좀 부족한 것을 채워주려 하면 상대방과 사회는 나를 더욱 높여주게 되는 사실과 같습니다.

사람은 사람 그 자체입니다. 무엇으로도 대체할 성질의 것이 아닙니다. 다른 동물과는 다릅니다. 물과 불은 서로에게는 적이 됩니다. 물은 불을 끄려 하고 불은 더 높여 물을 무력화시키려 합니다. 그러나 물은 물과 불은 불과 서로 합하려고 합니다. 물은 물과 합하여 더 큰 데로 나아가려 하고 불은 불과 합하여 더욱 높이 치솟으려 합니다. 호랑이는 뭇 짐승을 죽여도 호랑이를 죽이지는 않습니다. 서로 간에 협력하여 뭇 짐승을 죽여 먹이로 합니다. 같은 종류의 새는 그들끼리 집단을 형성하고 날아갈 때도 함께 합니다. 개미도 벌도 마찬가지입니다. 하물며 사람은 말해 무엇하겠습니까? 서로 협력해야 함은 당연합니다.

우리는 흔히 직장생활 또는 사회생활을 하면서 간혹 실수하는 사람을 말할 때 '사람은 좋은데 술만 들어가면 실수를 해'라는 식으로 말하는 경우를 많이 볼 수 있습니다. 맹자는 '성선설'에서 원래 선하게 태어난 인간이 외물(外物)에 의하여 악한 마음을 가지는 것이라 했고 순자의 '성악설'은 원래 악하게 태어난 인간이 후천적 노력을 통해 바르게 가야 한다고 합니다. 두 주장 모두 인간이 선한 행동을 하여야 한다는 것을 말하고 있습니다. 제가 생각하기에 그 사람이 좋다는 것은 사람 자체가 선이기 때문에 당연하다는 생각입니다. 사람이면 누구나 좋은 사람입니다. 내가 보기에 좀 부족하고 어리석다 하여도 사람이려니 하고 생각하는 협력 사고를 가진다면 좀 더 나은 직장생활이 되지 않을까요?

연말입니다. 이때는 왠지 평상시에 없던 자비심이 생겨납니다. 길가의 구세군 냄비에 돈도 찔러넣고 싶고 그동안 코로나 핑계로 가지 않았던 성당에 가서 두 손 모아 남이 잘되기를 바라는 소망도 빌어보고, TV 속 노숙인의 모습에서도 인간의 마음이 공감됩니다. 이때에는 술 한 잔 값 아껴서 기부도 해보고 싶은 마음이 동합니다. 통계청 자료에 의하면 우리나라 전체 기부금의 75%가 교회 기부금이라 합니다. 기부단체별로 보면 세금 마냥 매년 꼬박꼬박

1만원의 기부금 고지서를 보내는 적십자 등 10여 개의 큰 단체가 90%를 차지하고, 나머지 10%를 수백여 개의 단체가 기부금을 나눠 간다고 합니다. 그래서 10여 개의 큰 단체는 대학 졸업생들이 취업하고자 하는 상위권에 랭크되어 있습니다.

뉴스에 보면 기부금으로 기부단체장의 개인용도나 기부 목적을 벗어난 곳에 쓰이는 경우도 많다고 합니다. 뭔가 잘못되어가고 있다는 생각입니다. 약하고 없는 자를 돕고자 대가 없이 지불한 기부금마저도 부익부 빈익빈의 경제구조를 닮은 것 같아 마음이 무겁습니다. 어쨌든 기부는 공동체의 연대이자 협력입니다. 그래서 누군가는 기부의 본질을 '한 사람의 열 걸음보다 열 사람의 한걸음이 중요하다'라고 하는 것 같습니다. 그래도 그러한 사람들이 적지 않음에 희망을 가져봅니다.

모두 올 한해 마무리 잘하시고 더욱 의미 있게 살아가는 2022년이 되시길 바랍니다. 특히 며칠 후에는 후배들에게 공무원으로서의 참된 모습을 보여주시고 공직 생활을 마감하시게 되는 이현숙 선배님의 앞날에 건강과 멋진 삶을 응원합니다.

[열다섯 번째 러브레터]

Diet

(2022.2.10)

Diet

연일 이벤트가 진행 중이다. 당첨되면 선물을 주거나 물건 가격을 깎아주는 정도를 한참 넘어선다. 24시간 내내 화끈하게 쏘고 있다. 이제 3월만 되면 월급도 확 늘어나고 아이들은 알아서 키워주고 취직도 시켜주고 집 장만도 어렵지 않게 할 수 있고 아프면 공짜로 치료해 주고 빈부격차 없는 평등한 세상이 오고 대머리도 없어지고 원하는 건 무엇이든지 다 해준단다. 누군가는 하늘의 별도 따다 줄 것으로 알고 있다. 그런데 정작 그러한 사실을 믿는 사람은 아무도 없다. 대통령 선거 공약 이야기다.

개발이익 불법 환수 의혹을 받고 있는 대장동 사건, 선거대책위원회를 직접 꾸리고 챙긴다는 건진법사 무속인, 욕설 파문, 허위 논문 등을 대하면 머리가 아파지고 없던 스트레스도 쌓입니다. 텔레비전을 깨부수고 싶고 당장 먹고살기도 바쁜 서민들 입장에서는 이러한 것이 여간 거슬립니다. 물론 그들이 정권 획득을 통하여 자신과 공동체가 추구하는 올바른 사회적 방향성을 지향하고자 하는 바를 모르는 것은 아니지만, 그것을 위한 수단은 도를 넘어섭니다.

코로나로 어려운 이 시국에 국민의 선택에 편안함을 주고자 한다면 대통령의 자격 조건을 명확히 해야 할 필요가 있는 것 같습니다.

국내에서 5년 이상 거주한 40대 이상 국민이면 대통령에 입후보할 수 있는 자격 조건을 품성이나 올바른 리더십, 배려심 등 좀 더 구체적이고 세부적으로 정해놓든지 미리 입후보 자격시험을 보든지 해야 하지 않을까 하는 다소 우스운 생각까지 하게 됩니다. 대통령 선거가 3월 9일입니다. 그래도 각자가 기억하는 사람에게 1표는 던집시다. 모든 것이 잘 되기를 기원하는 인간 본능을 담아서, 누가 되든 지금보다는 더 나은 세상이 오기를 바라면서.

▸ 음식의 역사

Diet라는 제목에 맞추어 음식으로 글감을 이어갑니다. 엊그제가 설이었습니다. 살아온 세월이 길지는 않지만, 경험으로 설, 정월대보름이 지나면 봄소식이 전해지기를 기대하게 되고 마음도 절로 따뜻해집니다. 냇가의 버들강아지가 하얗고 긴 솜털을 드러내고, 뒷산 산책로 곳곳에 숨어 움튼 꽃봉오리의 모습에 다리에 힘이 붙습니다. 코로나 前으로 시계를 돌려보면 매화, 산수유 등 꽃을 주제로 한 축제가 시기에 맞춰 열리고, 아이들의 손에는 색깔 있고 먹기 좋은 먹거리가 손에 들려 있습니다.

이때를 지나 5월이 채 되기도 전에 우리 몸은 얇은 옷으로 바뀌고 윗옷 소매도 반으로 짧아집니다. 이렇게 되면 그동안 옷에 가려져 있던 뱃살이 몸 밖으로 쭉 삐져나오고 늘어난 허리벨트가 옷의 맵시를 망가지게 합니다. 그리고 얼마 후에 마주하게 될 뜨거운 햇볕보다는 자연스레 몸을 드러내게 될 현실에 갑자기 우울해집니다. 아무 생각 없이 생존을 핑계 삼아 먹었던 음식이 싫어지고, 둔중한 몸놀림이 더욱 어색합니다. 생각이 여기에 이르면 다이어트의 시작을 알리는 종이 마침내 머리에서 울립니다.

인류의 탄생과 음식은 함께 합니다. 유기체의 호흡을 책임지는 공기는 우리 몸을 숨 쉬게 하고 입으로 전해지는 부드럽거나 딱딱한 고형체는 몸의 형태를 유지하고 에너지를 불어 넣습니다. 처음에는 맨손을 이용하여 얻을 수 있는 채소, 날알, 곤충 등을 생존을 위해 먹었을 것이고 이후에는 연장을 사용하여 나름 덩치가 있는 작은 동물이나 개간 토지에서 나오는 다양한 곡식을 먹었을 것입니다.

음식의 종류는 지형이나 기후의 영향으로 지역에 따라 다르고 인간의 욕심에 의해서 저질러지는 전쟁의 영향으로도 많은 영향을 받습니다. 따뜻하고 강수량이 적당한 곳에서는 이모작, 삼모작이 가능하여 쌀의 생산량이 많고 과일나무가 잘 자라 먹거리가 풍부하나 그렇지 않은 곳에서는 인간의 노력에도 배를 채우는 데 어려운 여건을 가지고 있습니다. 육포는 칭기즈칸이 전쟁 보급품을 수월하게 확보하기 위해 잘 썬 육고기를 말 안장에서 자연적으로 말린 것이고, 만두는 제갈량이 남만을 평정하고 물결이 센 강을 건너기 위하여 사람의 목숨 대신 밀가루 피와 고기로 다져 만들어 제사를 지낸 후 무사히 건넜다는 전설이 깃든 음식입니다.

짜장면과 함께 중국음식점 인기 메뉴인 탕수육은 1840년 영국과 중국의 아편전쟁 결과 전쟁에 승리한 영국 상인들의 입맛에 맞게 중국에서 쉽게 구할 수 있는 돼지고기와 젓가락 사용이 서툰 영국인에게 포크로 먹을 수 있도록 단맛을 내어 만든 것이 시초입니다.

결혼식장에서 많이 보는 뷔페는 북유럽 바이킹족에서 찾아볼 수 있습니다. 광주 최초 놀이동산인 운암동 문화예술회관 어린이 공원에 가면 지금도 바이킹이라는 놀이기구가 있습니다. 해적선 모양을 하고 시소처럼 좌우로 크게 움직이는 놀이기구입니다. 바이킹족은 전투에서 기습에 능합니다. 적군이 생각지도 못하게 배가 운행할 수 없는 좁은 해협을 배를 짊어지고 이동하여 급습합니다. 그리고 그곳에서 얻은 다양한 전리품 음식을 나뭇잎 위에 펼쳐놓고 급하게 식사를 하고 다시 진격합니다. 여기에서 유래하게 된 것이 뷔페입니다.

우리나라와 관련된 음식으로 대표적인 것은 고춧가루와 부대찌개 입니다. 고추는 임진왜란 때 일본에 의하여 우리나라로 전해져 식욕을 돋우는 빨갛고 맛난 김치의 시작을 알리는 매개체였고, 1950년 한국전쟁으로 참여하게 된 미군의 쓰레기 음식으로 만든 것이 부대찌개입니다. 이런 걸 생각하면 우리나라의 대표 음식으로 발전시킨 선조의 노력에 감사하지만, 한편으론 가슴 아픈 역사의 한 페이지입니다.

▸ 음식 하면 전라도

맛있고 풍부한 음식하면, 전라도가 떠오릅니다. 서울에서 식사하기 위해 식당을 찾는데 간판에 전주식당, 부산식당, 대전식당이라는 간판이 있으면 어디로 들어갈까요? 서울에서 학교 다니는 딸아이도 타지역에서 사는 친구들이 컵라면을 먹어도 광주에서 먹으면 더 맛있겠다는 농담을 했다는 말을 들어본 적이 있습니다. 그런데 지금은 프랜차이즈가 더 발달된 지역에서 먹어야 음식이 더 맛있습니다. 그래서 음식의 종류가 다양한 서울이 제일 맛있습니다.

여행의 대중화, 공간적 거리의 단축으로 음식 면에서 가장 피해를 본 지역은 우리가 살고 있는 지역입니다. 이 사실은 왜 전라도 음식이 맛있는지에 대해 살펴보면 알 수 있습니다. 전라도 음식이 맛있고 풍부하다고 하는 이유가 궁금했습니다. 인터넷을 검색해 보고 책을 찾아 보고 교수님들한테 물어봐도 별다른 답을 들을 수 없었습니다.

제가 고민하고 생각하여 내린 저만의 결론은 이렇습니다. 물론 정답이 없는, 전적으로 제가 생각하는 이유입니다. 전라도 사신 분들의 손맛이 특별한 것도 아니고 원래부터 손가락 유전자가 음식 쪽으로 발달한 것도 아닙니다. 자연환경의 영향이 가장 큽니다. 우리나라는 남북으로 길게 뻗은 형태의 땅덩어리를 가지고 있습니다. 그래서 지역별로 기후 차이가 큰 편이라 자라는 곡식, 과일, 임산물 등이 다양합니다. 이러한 이유로 우리나라는 기본적으로 식재료 종류가 풍부한 편입니다. 특히 호남은 평야가 많아 주식인 쌀 생산량이 가장 많습니다. 강원도에서 경북, 부산으로 이어지는 동해안은 맑고 수심이 깊은 반면, 남해안, 서해안은 바다 수심이 비교적 얕고 갯벌이 있습니다. 갯벌 또한 전국에서 가장 넓은 면적을 차지합니다. 그래서 호남지방은 바다에서 얻어지는 수산물뿐만 아니라 갯벌에서 얻어지는 낙지 등 연체류, 꼬막, 조개 등 어패류 생산이 많습니다.

또한 식품의 저장 역할을 하는 소금 생산량도 가장 많아 음식을 오래도록 보관하여 먹을 수 있습니다. 이런 지형적 요건으로 다양한 음식 재료를 확보할 수 있어 맛의 고장으로 이름난 것 같습니다. 갑자기 이런 음식으로 차려진 한 상이 그려지니 배가 불러오고 살이 쪄 있음을 느낍니다.

▸ 올바른 다이어트

건강한 몸을 위해서는 좋은 음식과 적당한 운동이 필요합니다. 좋은 음식이란 건강을 유지하거나 발달시킬 수 있는 영양가 있는 음식을 말하고 적당한 운동이라 함은 내 몸에 맞는 체력을 기르는 것을 말합니다. 그런데 그게 쉽지는 않은 것 같습니다. 게으른 탓도 있지만 몸은 내 의지대로 태어난 것이 아니라 어떤 사람은 선천적으로 건강하지만 그렇지 못한 사람도 있습니다. 그래서 고민하게 되고 건강을 위해 먹는 것으로만 대체하게 될 때 나온 배를 넣기 위하여 우리는 다이어트를 생각하게 됩니다. 건강을 지키는 방법은 다양합니다. 등산, 자전거 타기, 축구, 야구, 테니스 등의 스포츠 활동도 있고 도심에서는 둘레길 산책도 하고 헬스도 하고 집에서 운동하는 것 등이 일반적인 모습입니다.

책을 읽고 명상, 요가를 통해 마음의 안정을 얻고 건강을 지키고자 하는 사람들도 많습니다. 또 어떤 사람은 연예인이 이야기했던 것처럼 맛있는 음식을 많이 먹기 위한 목적으로 운동을 하는 경우도 있습니다. 상업성이 가미된 먹방도 이러한 유형의 하나입니다. 어떤 목적을 가지고 어떠한 행위를 하든 몸이 건강해야 활동할 수 있고 맛난 음식도 먹을 수 있습니다. 그리고 멋진 몸이 사회적 인간관계를 하는 데도 자신감을 주는 것은 부인할 수 없는 것 같습니다. 우리도 이 기회를 통하여 자신에게 맞는 건강 다이어트 방법을 찾아 보는 것은 어떨까요?

인간은 몸(육체)과 영혼(마음)으로 이루어져 있습니다. 몸은 유한성을 가지지만 영혼은 시각에 따라 다르게 판단하고 있습니다. 몸이 활동을 멈춤과 함께 사라진다고 하고 일부는 영혼은 계속 남아 있거나 저 높은 곳으로 간다고 하는 사람도 있습니다. 그것의 사실 여부를 떠나 저는 몸과 영혼은 하나이지만 또 다른 것이라는 생각을 가지고 있습니다. 사람은 눈에 보이는 몸에 대하여는 치장하여 아름답게 가꾸고 그것에 대하여 스스로 만족함을 가지려고 노력하지만, 정작 중요한 영혼(마음)에 대하여는 소홀히 하는 경우를 흔히 볼 수 있습니다. 영혼을 아름답게 하는 것은 당장은 남에게 평가받지도 않고 남에게 보이는 게 없기 때문이기도 하고 자신에게 손해되는 것이 없는 것처럼 여겨지기 때문입니다.

불가에 윤회설이 있습니다. 그래서 살아있을 때 남에게 잘하려고 노력합니다. 지나가다가 길가에 버려진 동물이 있으면 음식을 주기도 하고 어떤 이는 데려다 정성껏 키우기도 합니다. 자비심이 발휘됩니다. 그런데 정작 내 부모님이 내쳐져 있거나 혼자 계시면 어떻게 하나요? 제가 딱 그렇습니다. 버려진 동물에게 한 것처럼 마음을 주면 나는 다시 사람으로 태어날진대 적지 않은 사람과 마찬가지로 그렇게 하지는 못한 것 같습니다. 나는 다음에 사람으로 태어나기는 힘들 것 같다는 생각에 불안합니다.

윤회설의 입장에서 본다면 부모님을 소홀히 하고 버려진 개를 데려다 키운 사람은 개로 태어날 확률이 훨씬 높다는 겁니다. 아무래도 확률적으로라도 소수인, 사람으로 다시 태어나려면 살아 있을 때 그만큼의 선한 노력이 필요할 것입니다. 기독교적 관점에서 보더라도 역시 마찬가지입니다. 천국에 가기 위해서는 어떻게 해야 하는지 답은 정해져 있습니다. 그러나 우리는 삐죽 나온 옆구리살, 뱃살을 빼내려 갖은 방법을 쓰지만, 정작 내 마음을 다스리고 타인을 위하는 일에는 무관심합니다. 어떻게 살아야 할까요? 모든 사람은 다시 사람으로 살고 싶고 천국에 가고 싶어 합니다.

▸ 잊어버려야 Diet

인간은 나이를 먹어감에 따라 깜빡깜빡합니다. 이러는 것이 다반사입니다. 이것 끝나고 금방 해야지 하는데 잠시 뒤에 생각하면 도통 기억이 나질 않습니다. 어떻게 보면 인간의 몸이 나이에 맞는 제 역할을 하느라 그렇습니다. 몸의 기능은 유한하고 머리의 저장 능력은 떨어지는데 생활하면서 쌓고 쌓인 사소한 기억을 다 갖고 있다면 아마도 머리는 터져버릴 것입니다. 스스로 살고자 하는 것이니 그리 크게 걱정할 필요는 없는 것 같습니다.

살아가면서 잊고 싶은 기억이 1~2개 있는 건 모든 인간이 가진 공통된 생각이라 여겨집니다. 이런 것은 창피해서라도 잊으려 해도 잊히지 않는데 다른 사소한 것이라도 사라져야 좋은 기억으로 나머지 부분을 조금이라도 채울 수 있을 것 같습니다. 그래야 건강할 것 같습니다. 그래서 인간은 망각을 자연스럽게 받아들여야 하고 중요하지 않다고 판단되거나 나쁜 기억은 스스로 그 가지를 잘라내는 것이 필요합니다. 잊어버리려고 노력하는 망각의 다이어트가 필요합니다.

▸ 결론 1

요즘 청내 열린 마당이 시끄럽습니다. 뜨겁다는 대신 시끄럽다고 표현한 것은 부정적인 이미지가 강하기 때문입니다. 특히 보건소가 주가 되어 하고 있는 업무이기 때문에 느끼는 불편감이 상당합니다. 얼마 전 2022년 상반기 승진 인사 임명장 수여 때 청장님이 하신 말씀이 불현듯 떠올랐습니다. 어떤 조직이든 20%는 열심히 일만하고 나머지 80%는 중에는 노래를 잘하는 직원, 인간관계가 뛰어난 직원, 말을 아주 잘하는 직원이 있어야 조직이 원활하게 돌아간다고 하였고, 일만 잘하는 사람 100%로 조직을 만들어도 똑같은 결과가 나온다고 하였습니다.

이렇게 말씀하신 이유는 좋은 조직은 다양한 재능을 가진 직원이 필요하고 다양한 의견을 받아들여야 한다는 의미로 판단했습니다. 이 이론은 이탈리아 경제학자 빌프레도 파레토가 인구의 20%가 전체 부의 80%를 가지고 있다고 주장한 이름에서 따와 '파레토의 법칙'이라고 부르고 일반적으로 경제학에서는 2:8 법칙이라고 부릅니다. 그래서 기업체에서는 조직원 20%가 나머지 80%를 먹여 살린다는 식으로 빗대어 사용되고 있는 이론입니다.

그런데 행정기관의 일은 이것과는 차별 있게 이해해야 합니다. 일의 분배도 성과도 무 자르듯이 일괄적으로 할 수 없고 그렇게 해서도 안 됩니다. 누군가에게 성과를 기대하는 것이 아니라 시민을 보고 하는 일이기 때문입니다. 누가 뭐라 해도 당사자인 시민이 알아주면 될 일입니다.

일이 많으면 말도 많습니다. 주변의 이런 말 저런 말 귀담을 필요는 있지만 잘라내는 다이어트도 필요합니다. 직원 간의 협조와 배려를 기대하는 건 당연하지만 그것이 기대에 못 미친다 하더라도 너무 지치지 않았으면 합니다. 열린 마당이 자유롭게 의사를 표현하고 건강한 조직문화를 만드는 목적을 다 했으면 합니다.

지금의 열린 마당을 보면서 '치킨(chicken) 게임'이 연상 됩니다. 배달 음식 1등인 치킨이 아닙니다. 치킨(chicken)은 명사로 닭(고기)이지만 형용사로는 '겁쟁이인'이라는 의미를 담고 있습니다. 그래서 일명 '겁쟁이 게임'이라고 합니다. 영화에서 보면 상대방이 서로 차가 마주 보는 상태에서 전속력으로 달리는 장면을 조마조마하게 본 기억이 있을 겁니다. 이때 한쪽이 차를 비키거나 세우면 겁쟁이가 되지만 둘 다 포기하지 않으면 서로가 최악의 상황을 맞게 됩니다. 우리가 어쩌면 승자 없는 치킨게임을 하고 있지 않나 하는 생각이 듭니다. 저는 배달 치킨이 좋습니다.

희망이 있습니다. 얼마 후엔 이 시간이 지나갈 것입니다. 그리고 이 시간을 웃으면서 이야기할 것입니다. 인간은 마지막 기억에 가장 강한 영향력을 받고 있다고 합니다. 그래서 무거운 역기를 들고 힘들어도 들고난 후의 쾌감 때문에 내일 다시 역기를 잡는다고 합니다. 과정에서의 어려움이 있지만 잘 마무리되면 그 자부심 온전히 우리의 것이 될 겁니다. 마지막이 좋은 기억을 갖게 될 겁니다.

▸ 결론 2

한 달 전에 화정동 아파트 공사 붕괴 사건이 있었습니다. 붕괴 사건 얼마 후 사고 현장 주변에는 실종자 6명이 다시 돌아오기를 바라는 노란 리본이 하나둘 보였습니다. 노란 리본은 '무사귀환'이라는 의미를 담고 있습니다. 그러나 이러한 소망을 뒤로한 채 이틀 전 6명 모두 죽음으로 구조되었습니다. 안타깝고 어두운 현실과 마주했습니다. 2014년 세월호 사건 때 내 걸렸던 수많은 노란 리본이 다시 등장한 것 같아 마음이 내내 편하지 않은 것은 우리 모두의 마음일 것입니다. 어린 학생과 노동자 등 사회적 약자의 죽음이 못내 아쉽고 공무원으로서의 책임감도 함께하게 됩니다. 그들의 명복을 빕니다. 우리가 하는 일이 시민의 안전을 위하는 일입니다. 힘들게 일하는 우리 직원들의 '무사귀환(?)'을 바랍니다.

화정동 아파트 붕괴 모습

'이 또한 지나가리라'라는 말을 하기에 주어진 현실이 어렵습니다. 사무실 일을 미뤄 놓고 코로나 현장에 힘쓰신 직원분들 감사드리고 미안합니다. 이렇게 저렇게 말은 못 하지만 제 마음이 그렇습니다. 모두 힘든데 책상만 지키고 있는 저도 처신이 어렵네요. 일상으로 복귀하는 날 기다리고 여러분의 수고에 진심으로 감사드립니다. 모두를 위해서 정월대보름 소원 빌겠습니다.

[열여섯 번째 러브레터]

Bus

(2022.4.19)

Bus

답답함의 연속입니다. 무기력함으로 연결됩니다. 대선 공약이 우리의 삶을 달라지게 하지 않으리라는 것은 미리 알았지만, 이후에 보이는 것들은 우리를 실망시키기에 더욱 충분한 것 같습니다. '검수완박'으로 정치권이 강대강으로 치닫고 지금껏 국민에게 허리를 굽히지 않던 검찰도 읍소하고 집단 대응하는 모습에서 형태는 다르지만 거리에서 머리끈 동여매고 외치는 약자들의 고함 소리와 언뜻 겹쳐집니다. '검수완박'이 누구는 옳다 하고 누구는 아니라고 합니다. 그렇지만 양쪽 모두 국민을 위하여 그렇다고 합니다. 무엇이 옳은지는 알 수는 없지만 헌법에서 우리나라의 모든 권력을 가지고 있다는 국민의 목소리는 묻히고 관심 밖의 대상입니다. 가만히 있는 최고 권력자인 국민을 자신의 의견을 정당화하기 위하여 들먹이는 것은 무슨 이유가 있는지 궁금하긴 합니다.

내각 인선이 발표된 걸 보니 광주, 전남 출신자는 전무하고 지역 현안문제도 인수위원회에서 검토나 하는지 불안한 이때 이와 같은 문제를 심각히 받아들이고 중앙정부와 연결할 수 있는 실질적 당사자인 민주당에 시민들은 실망을 넘어 분노하고 있습니다. 민주당 깃발만 꽂으면 당선된다는 이 지역에서는 6·1 지방선거를 앞두고 있으나 아직 공천 경선 대상자조차 확정하지 못하고 있는 상황입니다. 오락가락한 공천 기준과 잡음이 난무하고 있어 지역의 미래는 어둡기만 합니다.

우리 조직도 어려운 길을 가고 있습니다. 시민의 부름을 받아 지난 4년 동안 광산구청의 수장으로써 시민의 행복을 노력하셨던 김삼호 청장님이 선거법 위반으로 4.14. 대법원에서 당선 무효 확정 판결을 받아 자리에서 물러나게 되었습니다. 직원들로부터 좋은 평가를 받아왔던 분이시라 그 아쉬움이 더욱 큽니다. 후일 더욱 나은 모습으로 뵙길 기대합니다.

국가적으로나 지역 사회적으로 어려운 상황입니다. 국민과 조직의 일원으로써 가지는 책임감이 더욱 발휘되어야 할 때입니다. 모든 것이 순리대로 잘 풀리기를 바라고 이럴 때 일수록 마음 다잡고 일해 나가는 우리가 되었으면 합니다. 이렇게 바쁘게만 흘러가는 시간 속에서는 일부러 느리게 하거나 쉬어가는 삶을 생각하게 됩니다. 그때 문득 버스라는 개체를 생각해 냈습니다. 돌이켜보니 버스로 인한 많은 경험이 있었습니다. 버스를 타고 잠시 쉬어가도록 하겠습니다.

▸ 광주와 첫 대면

제가 광주에 처음 온 것은 89년도입니다. 물론 그 이전에 한두 번 왔었던 기억은 있지만, 거주를 목적으로 발을 딛게 된 것은 이때입니다. 88년 서울올림픽 비상근무로 예정되었던 군 생활보다 2주를 더하고 몇 달 지나 어떻게 하다 보니 광주에서의 생활을 시작하게 되었습니다. 버스를 타고 내린 곳은 대인동 시외버스터미널입니다. 전남 각지에서 오는 버스는 대인동 시외버스터미널을 이용하였고, 서울 등 주요 도시로 오가기 위해서는 광주역 부근 중앙고속터미널을 이용했습니다.

시외버스터미널은 여느 터미널의 모습과 크게 다르진 않았습니다. 많은 이들이 보따리를 들거나, 이고 다니고 어르신뿐만 아니라 엄마, 아빠와 함께 오고 가는 아이의 모습도 자주 눈에 띕니다. 터미널 내부는 음료수, 과자 등을 파는 상점과 식당이 있었습니다. 터미널 내부는 어둡고 칙칙했으며, 특히나 화장실은 더럽고 지저분하고 민망한 낙서가 도배되어 있어 가능하면 사용하는 것을 피했습니다. 터미널 앞쪽으로는 택시들이 줄지어 서 있고, 호객행위도 자주 일어났습니다. 도로 양쪽으로는 물건을 팔기 위한 잡상인이 늘어서 있었고 나는 목적지를 가기 위해서는 맞은편 길로 가야 하는데 버스에서 내린 후 지하도로를 건너야 했습니다. 거기에도 역시 잡상인이 있었는데 저는 좋지 않은 기억을 가지고 있습니다.

어느 날도 똑같이 그 지하도로의 계단을 따라가고 있는데 아저씨가 "혁띠 한 개에 2천 원! 2천 원!" 반복적으로 크게 외치고 있었습니다. 당시 허리띠 가격이 4~5천 원 정도 했던 것으로 기억합니다. 그래서 만 원짜리 한 장을 주고 허리띠 하나를 샀는데 거스름돈으로 천 원을 내주는 것이었습니다. 8천 원 덜 주었다고 하니까 내가 언제 2천 원에 판다고 했냐면서 9천 원이라고 했다고 눈을 부라리고 때릴 듯이 주먹을 들어 보입니다. 허리띠 장사하는 사람은 두 사람이었는데 그렇게 장사하는 사람들이었습니다. 지금 같으면 바로 신고했을 텐데 그때는 그런 것이 통하는 세상이었나 봅니다.

밤에는 터미널 주변으로 포장마차가 자리하고 있어 술 취한 사람들로 시끄러웠고, 인근에 카바레가 있어 이곳을 드나드는 사람들이 적지 않았고, 바로 옆에 홍등가가 있어 버스에서 내린 점잖은 사람들은 이곳을 피해 일부러 좀 돌아서 다니다시피 했습니다. 지금은 이곳엔 롯데백화점과 광주은행 본점이 있고, 터미널도 광천동으로 이전해 그 기억만이 남아있을 뿐입니다.

▸ 학창 시절

세상은 진보되어 편하게 바뀌었지만 그래도 비교적 더딘 것은 버스라 할 수 있습니다. 도착 안내 시스템, 냉·난방 시설이 갖추어진 것을 제외하면 외관, 내부 손잡이, 의자 등 크게 다른 것은 덜하지 않나 싶습니다. 저는 중학교 때 버스를 타고 등교했습니다. 중학교를 배정받았는데 집에서 제일 먼 곳으로 가게 되어 중학교 1, 2학년 때는 버스를 타고 다녔고, 3학년 때는 자전거를 이용했습니다.

변함이 덜한 버스도 지금의 버스와는 조금은 다릅니다. 버스는 기사님 외에 한때는 버스 안내원이 있었습니다. '오라이'와 '스톱'을 반복적으로 외치고 돈을 받고 만원 버스에서 승객들을 밀어 넣는 역할을 담당했습니다. 기사님 옆에는 빈 공간이 있습니다. 지금 버스에서 탑승 카드를 찍는 공간입니다. 버스 하부에 엔진이 장착되어 사람이 타는 좌석으로는 적절치 않아 좌석으로 만들지 않고 그냥 약간 원형의 부풀어진 형태로 낮은 칸막이를 해 놓았습니다. 오일 냄새가 밑에서 올라와 냄새도 심하게 납니다. 여기에 승객들은 짐을, 학생들은 책가방을 올려놓게 되는데 간혹 냄새나는 물건을 올려놓으면 기사에게 한 소리 듣기 마련입니다.

냉·난방장치가 없어 더울 때는 좌석 부분마다 손잡이가 달린 창문이 양쪽으로 여닫게 되어 있어 손으로 열고 바깥바람을 쐬게 되는데 한여름에 이런들 무슨 소용이 있겠습니까? 손을 내밀거나 어떤 고약한 사람은 장난으로 고개를 내밀어 그저 달릴 때 바람이나 맞아보는 수밖에… 추운 겨울에는 꽉 닫는 수밖에 다른 방법이 없습니다.

버스 시트는 뾰족한 칼이나 손으로 뜯겨 있는 것이 다반사고 좌석 뒷부분은 별의별 낙서가 다 적혀있는 등 엄청나게 더러운 경우가 많았습니다. 제 집은 시내였고 등교 시간에 맞춰 버스를 타게 되면 그래도 보통 좌석이 군데군데 몇 개 남게 됩니다. 이 버스는 거의 대부분 학생으로 채워지기 때문에 나름의 규칙이 있습니다. 이걸 몰랐다가 선배들한테 몇 번 맞기도 했습니다. 자리가 비어 앉아 몇 정거장 이동하면 버스는 학생들로 만원입니다. 규칙은 간단합니다. 선배는 자리에 앉고 후배는 자리에서 벌떡 일어나야 합니다. 그래서 선·후배를 금방 알 수 있습니다. 체격 차이에서 중·고등학생 구분이 가능하고, 교복으로도 알 수 있습니다. 남학생 교복에는 목을 채우는 부분에 후크가 달려있는데, 좌우로 학교 배지와 아라비아 숫자로 된 학년 표시를 하고 있어 언뜻 보아도 그냥 알 수 있습니다.

학년이 올라갈수록 잠그지 않는 단추 수가 늘어갑니다. 1학년 때는 다 채우고, 2학년은 하나 덜 채우고, 3학년은 제 멋대로입니다. 물론 3학년이 돼도 저처럼 다 채우는 사람도 꽤 많지만 말입니다. 제가 다니는 중학교를 지나서 고등학교 2개가 더 있어서 학기 초 며칠 간의 경험으로 버스로 등교할 때는 빈자리가 있더라도 앉지 못하고 처음부터 서 있었던 걸 생각하니 우습기도 하고 좀 그렇습니다.

학창 시절에 그래도 제일 재밌었다고 생각되는 것은 수학여행입니다. 공부로 인한 스트레스를 풀고 한창때의 열기를 발산할 수 있는 것은 소풍, 체육대회도 있지만 수학여행에 비할 바는 아닙니다. 단 몇 시간이 아니라 그래도 3일이라는 시간이 주어지고, 이 동안 같이 자고 선생님들도 웬만한 행동은 눈감아 주는 것을 알기에 없던 기운도 생기게 됩니다. 며칠 전부터 회비를 걷어 먹을 것 위주로 이것저것 삽니다. 수학여행 날 아침 운동장에는 빨간색 버스가 줄지어 서 있었고, 선생님들은 자기 반 학생들 한 명씩 부르고 태우고 숫자 세느라 바쁩니다. 보통은 가방에 옷가지와 먹을 것 등을 챙겨오지만 카세트를 수건에 싸 가져오는 친구, 멋들어지게 옷을 입고 온 친구, 사진기를 챙겨오는 멋쟁이 친구도 있습니다. 버스에 오르니 기사님이 기분 좋게 시동을 걸고 있었고, 예쁜 누나도 보조원으로 있었습니다. 지금 생각하면 스물 남짓 나이었던 것으로 보입니다.

선생님의 지시에 따라 앞쪽으로는 여학생이 앉고, 뒤쪽으로는 남학생이 앉았습니다. 우리 학교는 남·여 공학이었고, 그중에 우리 반은 남·여 합반이었습니다. 출발하고 잠시 선생님 주의 사항을 전달받았으나 그건 뒷전이고 디스코, 고고 음악에 맞춰 춤추고 놀고 했던 기억이 있습니다. 그 덜컹거리는 버스에서 잘도 놉니다. 회비로 산 술도 몰래 슬쩍슬쩍 먹으면서 참 짜릿하고 재밌는 그런 여행이었습니다. 설악산도 가고 충청도 어디도 가고 했는데 가물가물합니다. 다시는 이런 날이 없겠지만 그래도 없을 거라 더 그리운 친구들이고 기억입니다. 그때 당시의 담임 선생님은 나이가 지긋하셔서 돌아가셨겠지만, 학창 시절 때의 그리움으로 지금도 3학년 반창회를 담임 선생님을 모시고 하고 있습니다.

고3 담임 선생님과의 즐거운 한때

▸ 시외버스, 고속버스

차도 없었던 때라 꽤 오래전 일입니다. 운암동에서 시외버스를 타고 아내와 같이 백양사로 단풍 구경을 갔습니다. 몇 군데를 거쳐 도착한 백양사는 가을 산에 묻혀있었고 너무나 아름다워 이곳까지 오는 동안의 고단함을 잊게 해주었습니다. 백양사 경내에 들어서면 큰 은행나무가 있습니다.

노란 은행잎이 눈을 맑게 해주었고 와~하는 감탄이 나왔습니다. 그 은행잎을 밟고 걷다 보니 주위에 은행들이 떨어져 있었습니다. 아내와 같이 그 은행을 주워서 담기 시작했습니다. 어느 정도 수북한 양이 되었고 돌아가는 버스에 올랐습니다. 그런데 출발하고 좀 있으니 사람들의 웅성거림이 들려왔습니다.

"이거 뭔 냄새여, 똥 냄새가 나네!", "누가 똥 밟고 그냥 탔네" 등 별소리가 다 들렸습니다. 처음에는 무슨 냄새지 했는데 그것이 곧 우리가 주워 담은 은행 냄새임을 알고는 안절부절못했습니다. 주변머리가 없어 은행 냄새라고 말하지 못했고 전전긍긍했고 똥 마려운 놈이 되었습니다. 그래도 어느 할머니가 "아, 누가 은행 갖고 탔는가 보네. 똥 냄새 아니여. 다 그러제"하고 말해주니 다른 사람들도 이내 맞장구를 쳐줬습니다. 시골 분들이 많아 이해해 주었나 봅니다. 그래도 버스에 있는 내내 너무 힘들었습니다. 버스에서 내리니 똥 마려운 놈 화장실 다녀오는 기분이었습니다. 그때만 생각하면 온몸에 힘이 빠집니다.

외가는 시골입니다. 모두 농사를 짓고 있고 약간 떨어진 곳에 군데군데 마을을 이루고 있었고 외가 마을은 대여섯 집이 한 마을을 이루고 있습니다. 외가를 가기 위해서는 기차나 버스를 타게 됩니다. 기차역에서 내려 20~30분을 조심스럽게 기찻길 옆의 자갈을 따라가면, 대나무로 얼기설기 만들어 놓은 뒷문으로 들어가게 되고 버스는 버드나무가 양쪽으로 줄 지어선 신작로를 따라가다 버스 뒤꽁무니에서 내뿜는 먼지를 뒤집어쓰고 내리면 5분 거리에 있습니다.

돌아올 때는 외할머니가 싸주신 음식을 한 보따리 챙겨서 마루 위에 놓고 멀리 산을 올려다보면 구불구불한 길을 따라 빨간색 버스가 산에 가려졌다 보이고 다시 가려졌다 보이는 것을 신호로 천천히 걸어 나가면 비탈길에서 내려오는 버스를 손을 흔들어 멈추고 탈 수 있었습니다. 지금도 어쩌다 한 번씩 이곳을 지나가게 되고 그때마다 비탈길을 돌아오는 버스, 등이 좀 굽어지고 하얀 삼베옷을 입으시고 비녀로 쪽머리를 하신 풍채 있으셨던 외할머니가 엄마의 모습과 대비되어 마음이 쓰립니다.

한여름에는 친구들과 아스팔트 길을 20여 분 걸어서 '삼산보트장'이라는 곳에 갔습니다. 그곳에는 보를 막아 물을 가두어놔서 마땅한 놀이시설이 없던 시절에 아주 좋은 피서지였습니다. 물가의 돌 틈 사이로 손을 디밀어 팔딱거리는 붕어도 잡고, 물에서 놀다가 고개를 들어보면 좀 떨어진 길로 차들이 쌩쌩거리며 지나갑니다. 파란색 거북이가 그려진 빨간색 금호고속, 노란색 천일고속 등 서울, 광주, 부산 방면으로 내달립니다. 고속버스를 타면 음료수, 과자를 주었던 때도 잠깐 있어 고속버스를 마냥 타고 싶었습니다. 지금의 고속버스는 17인승으로 이후에는 프리미엄 버스로 변화되어 더욱 편리해졌지만, 그때 탔었던 고속버스의 안락함에는 한참 못 미치는 것 같습니다.

▸ 두려움

고등학교를 졸업하고 2년 뒤 군에 입대하게 되었습니다. 버스를 타고 갈아타고 의정부 306 보충대로 입소 하였습니다. 이곳은 몇 해 전에 없어졌지만, 경기도 일대 전방에서 근무하게 될 입대자에게 정신교육을 명목으로 훈련시키고 훈련복, 속옷, 칫솔 등 군에서 쓰게 될 물품을 나눠주고 각 사단별로 인원을 나눠서 배치하게 되는 곳입니다. 이곳에서 3~4일 지냈던 것으로 기억되는데 마지막 날은 자신이 가게 될 부대가 정해지고 각 사단 훈련소로 가게 될 버스가 연병장에 길게 늘어서 있습니다.

1사단 전진부대, 9사단 백마부대, 30사단 등으로 버스가 구분되어 있고, 나는 1사단 버스에 올랐습니다. 버스 외부는 빨간색으로 그 지역 업체에서 보낸 것으로 아주 멋있었고 내부도 깨끗하고 좋았지요. 그러나 버스에 타는 순간부터 언제 돌아올지 모르는 기약 없는 악몽 같은 순간이 시작되었습니다. 타자마자 조교들이 군기를 잡고 그 잠깐 동안 배웠던 군가도 시키고 입에 담기 힘든 욕설과 기합을 받으면서 훈련소에 도착했습니다. 내리자마자 6월의 뜨거운 햇살 아래서 선착순을 시키고 구르곤 했지요. 숨은 헐떡이고 있었으나 그사이 눈은 멀어져 가는 버스의 뒤 꽁무니를 따라갔고, 앞으로의 생활에 두려움이 몰려왔습니다.

▸ 그리워지다

저는 버스를 좋아합니다. 물론 과거에는 생각할 수도 없었던 차를 운전해서 출근하고 퇴근하기도 하고 구청 가까이에 기차역이 있어 고속으로 달리는 KTX를 탈 수도 있고 지하철을 이용할 수 있었습니다. 상대적으로 버스는 좀 불편하고 느리기도 합니다. 그런데 삶을 사는 시간이 채워질수록 마음은 버스로 향합니다. 바쁠수록 쉬어가고 싶은가 봅니다. 그래서 구에서도 쉼 휴가를 주고 동료들과 함께 쉬어가는 프로그램도 운영하는 것 같습니다.

쉬어가면 보이지 않는 것도 볼 수 있습니다. 강남은 우리나라 부의 상징입니다. 말하면 길죠. 한참 지난 수해 전 서울에서 시내버스를 탔는데 반대 방향입니다. 잘못 탔다 싶었지만 멋쩍어서 그냥 계속 있었습니다. 승객들도 하나둘 하차하고 점차 도심에서 멀어지더니 전형적인 시골의 모습이 눈앞에 펼쳐졌습니다. 밀짚모자 쓰고 일하기 좋은 통 넓은 바지를 입고 손에는 호미가 들려 있고… 아~ 강남에도 이런 곳이 있다니 약속 시간에 맞추기 위해 다시 버스를 바꿔타고 나오긴 했지만, 이러한 허파가 있기에 강남이 살아있나 싶었습니다. 지금은 상상조차 하기 힘들지만 예전엔 버스에 재떨이도 있었습니다. 직장 초년기에는 버스타고 출장을 다녔습니다. 한번 나가면 퇴근 무렵에 와도 누가 뭐라 하지 않았지요. 스트레스도 덜 받았습니다. 지금은 편리함의 대가로 더한 스트레스를 받습니다. 그래서 그때가 좋습니다. 느림이 좋습니다.

▸ 소원합니다

세상 사는 일 중에 가장 평등한 것이 죽음이라 합니다. 누구나 죽기 때문입니다. 그런데 빨리 죽고 싶은 사람은 없습니다. 이 좋은 세상에 조금이라도 더 있고 싶습니다. 그래서 지금의 가족, 직원분들과 함께하는 시간을 더 갖고 싶습니다. 지금의 시대는 메타버스 시대라고 합니다.

의미는 다르지만, 먼 훗날 죽음을 맞이하게 되면 메타버스에 아바타 먼저 보내고 덜컹거리는 완행버스를 타고 가고 싶습니다. 가다가 타이어가 펑크 나면 마지못해 갈아끼우고 엔진이 오래되어 푸르륵 하고 서면 서투른 정비사가 고치도록 하고 멈출 때 안 멈출 때 다 서고 버스 안 승객들과 함께 이것저것 참견하면서 완행버스처럼 가고 싶습니다. 그래도 이렇게 온다고 하느님이 부처님이 뭐라 하지는 않을 거라 확신합니다. 아바타가 가서 먼저 소식 전했으니 서서히 가도 되겠지요? 바쁘게 돌아가는 직장생활 그래도 가끔은 쉬면서 즐겁게 했으면 좋겠습니다. 시민을 바라보는 공직자의 매일이 즐거운 하루였으면 합니다.

[열일곱 번째 러브레터]

이발(理髮)

(2022.8.6)

이발(理髮)

▸ 우리 동네 이발사

내가 살고 있는 아파트 단지 상가에는 이발소가 있다. 상호를 굳이 말하지 않아도 요즘 주변에는 이발소가 거의 없어 이발소 하면 거기를 말한다. 삼색 등이 돌아가는 것으로 그곳이 이발소임을 알 수 있다.

동네 이발소 모습

우리 동네 이발사 이름은 이 지역 출신 前대통령 이름과 같은 KDJ이다. 이발사 본인 입으로 이름을 말하지 않았지만, 가게 맨 위에 걸려있는 이용업 영업 신고증 아래에 이름이 타이핑되어 있고, 떡 하니 붙어있는 사진이 실물과 판박이라 의심할 여지가 없다. 그의 생김새는 약간 남다르다. 나이는 40대 중후반쯤으로 보이는데 크지 않은 키에 배도 좀 나오고 개량 한복을 주로 입고 말은 느릿하면서도 조리 있고 예의 있는 말투가 여는 이발사와는 일견 비교된다. 이발사답게 머리는 스포츠형 머리보다 약간 길기는 하나 항상 단정하다.

그가 아내를 엄청 사랑하고 있음은 그의 말투에서 느낄 수 있다. 아내 이야기를 할 때면 눈이 커지고 말이 많아진다. 예쁘고 살림 잘한다고 자랑하느라 듣고 있는 내가 물을 한 잔 들이켜야 할 것 같은 목 안의 메마름이 전해질 정도다. 조선족 아내와의 사이에는 아들이 하나 있다. 초등학교 2학년인데 이번에 반장 되었다고 은근 자랑이다. 축하한다고 하니 "아니 뭐 지가 잘해야지요"하고 은근 빼는 것이 밉지 않다.

그와의 첫 대면은 약 3년 전이다. 전에 하던 이발사가 사정으로 일을 못 하게 된다 하고 얼마 되지 않은 시점에 이발하러 들르니 사람이 바뀌어 있었다. 이발사의 상투적 인사를 받고 의자에 앉으니 이것저것 물어본다. 이 아파트에 사는지, 몇 동에 살고 몇 년이나 살았는지, 누구는 아는지, 무슨 일하는지 등 굳이 대답하고 싶지 않은 일들을 굳이 물어보는 것이 썩 좋지는 않았다. 그리고 묻지도 않았는데 자기의 고향은 곡성이고, 읍에서도 가장 큰 산을 넘어가야만 나오는 동네로 차로도 읍내에서 20여 분을 구불구불 가야만 하는 오지이고, 가을에는 이 고갯길 전경이 너무나 멋져서 이곳을 아는 몇 사람이 해마다 찾는 명소라고 자랑이다.

여기에다 학력까지 들고 나온다. 중학교까지는 곡성에서 나왔는데 공부를 꽤 잘해 집에서 기대를 품고 광주에 있는 고등학교에 보내주었는데 기대에 못 미쳐 이발 기술을 배워 지금껏 이 일을 해오고 있다고 했다. 또한 집안 장남이고 동생들은 모두 서울이나 광주에서 잘 살고 있다고 한다. 낚시를 취미로 삼고 쉬는 날은 낚시한다고 한다. 첫 만남에 머리 깎이면서 이발사의 삶을 모조리 들춰보는 아득한 경험을 한 것이 그와의 첫 대면이었다. 만 원짜리 한 장을 건네고 나왔다. 이후에는 어쩔 수 없이 이발소를 들려야 했지만 만남이 잦아질수록 열심히 살아가는 거짓 없는 모습이 그에게 보여 그와의 30여 분의 짧은 시간이 덤덤함에서 즐거움으로 넘어서는데 채 몇 달이 걸리지 않았다.

▸ 이발의 역사

알려진 사실은 이렇다. 최초의 이발사는 프랑스의 장바버이다. 바버라는 영어단어는 이발사로 해석되고 있다. 이발소는 삼색 등으로 상호를 대신할 만큼 상징적인데 빨간색은 동맥을 파란색은 정맥을 흰색은 붕대를 의미한다. 중세 유럽인들은 머리를 손질할 때는 이발사를 찾았겠지만, 이가 아프거나 수술할 경우 이발사를 찾았다고 한다. 그가 칼을 잘 다룬다는 이유로. 지금 생각하면 아찔하지만, 당시의 상황을 알면 이해가 되기도 한다. 오죽하면 이발사의 하얀 가운을 지금 의사들이 입고 있지 않은가?

그럼 우리나라 사람들은 어떻게 이발을 했을까? 조선시대에는 이발이라고 하기에는 무리이고 상투를 틀었다. 현대적인 머리 손질인 이발은 불행히도 일제에 의해 이루어졌다. 단발령이다. 일제는 표면적으로는 위생을 내세웠지만 실제적으로는 조선의 완벽한 장악을 위하여 단발령을 꺼내 들었다. 1895년 11월 고종이 강제 삭발당했다. 이후 지금의 이발소가 등장하였다. 아픔이 있는 역사다. 1970년대에는 치마 길이가 짧거나 머리가 길면 풍속사범에 해당됐다. 머리가 길면 장발 단속에 적발되었고, 경찰의 가위에 의해 싹뚝 잘려 나갔다.

▸ 어릴 적 동네 이발소

고향 마을에는 이발소 한 곳이 있다. 구도심이라 살았던 주민도 많이 빠져나가 그 흔한 미장원도 사람들을 따라 떠나 잘 띄지 않지만, 그래도 이발소는 꿋꿋이 버텨 명맥을 이어오고 있다. 안에는 들어가 보지 않아 알 수 없지만 밖에서 보기에는 깔끔하다. 문득 문을 열고 싶은 욕망이 일어난다. 어릴 적 우리 동네에는 두 군데의 이발소가 있었다. 그래도 갔던 곳은 항상 정해져 있었다. 엄마의 마음에 드는 곳이다. 아무래도 어린이에게는 이발소 선택권이 손을 잡고 이끄는 엄마에 달려있기 때문이리라. 이발비가 싸서 인지 사람이 좋아서 인지는 알 수 없지만 어쨌든 이용했던 곳은 항상 같았다.

이발소는 머리를 단정하게 하는 곳과는 달리 출입구나 겉은 깨끗하지 않았다. 삼색 등이 힘겹게 돌아가고 있고 대부분 오래된 건물 1층에 있었고 건물 자체 세월의 때도 한몫했다. 그러나 내부의 모습은 사뭇 다르다. 활기가 넘친다. 도로와 경계진 문을 옆으로 찌익하고 열고 들어가면 항상 사람들로 북적거렸다. 이발소 자체가 작아서 이기도 하지만 그 안에는 여러 가지 것이 함께 있어 작게 느껴지는 것도 있었나 보다.

문을 열면 이곳이 이발소인지를 코로 먼저 알 수 있다. 이발소 특유의 표현하기 힘든 독특한 냄새가 먼저 확 얼굴에 이른다. 빨간색 이발 의자가 2개 정도 있고 앞에는 커다란 유리가 벽면을 따라 가로로 크고 길게 붙여져 있다. 이발 의자 앞에는 스킨, 로션의 값싼 화장품이 머리를 길게 물들인 여자 모델의 염색약과 함께 놓여있다. 그 중간쯤에는 조그마한 네모난 나무로 된 상자 안에 바리캉, 면도기, 면도솔 등이 얌전하게 자리하고 있고 겉에는 빨간 글씨로 소독함이라고 적혀있어 이발소 내에서 가장 소중한 물건이란 걸 증명한다.

왼쪽이나 오른쪽 한편에는 나무 기둥에 기다란 가죽을 매달아 놓고 어른들 면도 전에 칼을 여기에 쓱쓱 몇 차례 문질러 면도솔로 묻힌 아저씨의 뺨에 솜사탕처럼 하얗게 부풀어 오른 거품 위로 갖다 댄다. 가게 중간쯤에는 연탄보일러가 있고 그 위에는 항상 크고 쪼그라진 노란 주전자가 김을 내뿜고 있다. 의자에 앉아보면 맞은편엔 사인펜으로 쭉 긋고 고쳐 쓴 요금표가 보이고, 그 옆으로는 농협, 한의원, 신협 달력과 호랑이와 산세가 담겨있는 동양화가 한 장씩은 붙어있기 마련이다. 그런데 간혹 어린이들이 보기에 민망한 사진도 있다. 맥주 광고 표지는 컬러로 만들어지는데 벗어젖힌 여자가 맥주를 먹으면서 마치 손님들에게 권하는 표정으로 환하게 웃고 있다. 고개가 돌려진다.

이발소 내부 모습

어릴 때 이발소에 가면 어린이들은 키가 작아 이발 의자에 앉질 못한다. 그래서 나무로 만든 기다란 직사각형 판때기를 이발 의자 손잡이 위에 양쪽으로 올려놓고 여기에 앉는다. 그러면 이발사는 보통은 물어보지도 않고 대충 자른다. 우리들은 고개를 푹 수그리고 있으면 이발사가 엄마한테 어떻게 깎을지 묻는다. 답은 항상 같다. 엄마가 돈을 한 푼이라도 아끼려고 짧게 자르라고 한다. 그래야 오는 횟수를 줄일 수 있으니 말이다.

어른들은 머리를 자르는 것 외에 따뜻한 수건으로 얼굴을 적시고 면도도 한다. 볼이 엄청 뜨겁겠다고 생각했다. 또 다른 어른들은 염색도 한다. 염색약을 작은 종지기에 담아 나무막대기로 휙휙 젓어서 머리에 하얀 천을 씌우면서 했던 것 같은데 잘 기억나지 않는다. 다행히 나는 새치가 있지만 지금까지 염색을 해보지 않아 여기에 대한 기억은 별로 없다. 머리를 깎고 나면 보통은 이발사나 그의 아내가 머리를 감겨 주는데 엄청 시원하다. 의자에 앉으면 조리개로 푹 숙인 머리 위에 물을 들이붓고 빨랫비누로 거품을 내서 빡빡 문지르는데 어찌나 시원한지 이발소에서 그것만 했으면 좋겠다고 생각했다. 당시에는 머리조차도 매일 감을 수 없었으니 그럴만도 했겠다.

▸ 중고 시절의 이발

중학교 입학 안내문에는 머리카락을 귀밑 3cm가 되도록 깎으라는 안내문을 받게 된다. 그게 어떤 것인지는 모르지만, 선배들의 모습을 보면 빡빡머리다. 뒷머리, 옆머리는 속이 훤히 보이고 정수리 부분만 검다. 이렇게 깎인 머리는 중·고등학교 6년간을 유지한다. 이렇게 머리를 똑같이 깎고 똑같은 검정색 교복을 입고 있으면 한 반에 약 70명이나 되는 틈 속에서 엄마들도 내 아들을 찾는 것은 쉽지 않은 일이다. 이러한 와중에도 멋을 내는 친구들이 있어 머리를 더 길어 보려고 하루를 더 버티고 침을 묻혀서 앞머리를 길게 내려뜨리는 경우도 있다. 그것이 그것인데 말이다.

아침에 등교하면 교문 앞에는 학생주임 선생님과 선도부가 양쪽으로 줄지어 서 있다. 머리가 길거나 교복을 수선해서 몸에 꽉 붙거나 밑단만 펑퍼짐하게 해서 입고 오는 것이나 신발을 구겨 신거나 가방을 옆구리에 끼여오는 불량 학생을 적발하기 위해서다. 적발되면 소위 엎드려뻗쳐를 하고 여기에다 몽둥이로 엉덩이 찜질을 피하기 어렵다. 머리가 길어 적발되면 선생님이 귀밑을 잡고 위로 힘껏 올리고 다음 날까지 머리 깎고 교무실로 와서 검사받으라 하지만 어떨 때는 바리캉으로 머리 앞 중앙에서 정수리까지 일자로 쭉 밀어버린다. 풀이 무성한 곳을 가운데로 길게 제초 작업을 하는 것이다.

이렇게 되면 학생들은 바로 이발소로 달려간다. 머리를 조금 더 길으려다가 어쩔 수 없이 이발소에서 바리캉으로 머리 전체를 빡빡 밀어버리는 아픔을 겪게 된다. 씩씩거리고 씨팔씨팔하면서 소중한 머리카락이 나락으로 떨어져 나가는 아픔을 겪게 된다. 여기에 이발사도 한몫 거든다. "잘 해부렀다. 학생들이 선생님 말씀 잘 들어야지 느그들이 머리 조금 길러 뭔 멋을 내겄다고 그러냐. 그 시간에 공부나 좀 해"라고.

고2 때 두발과 교복이 자율화되었다. 머리를 길게 기를 수 있을까 생각했지만 그렇지는 못했다. 바뀐다고 당장 시행되는 것이 아님은 공무원 생활하면서 느낀 것과 같다. 졸업사진을 보면 그래도 머리가 좀 길다. 그래도 여전히 빡빡 민 친구들이 많고 그때를 생각하면 그래도 그때가 좋았는데 하고 마음이 착잡하다. 우리가 같은 시대, 같은 머리, 같은 옷, 같은 신발, 같은 교실, 같은 운동장에서 어울리던 때는 기억 속에만 있겠지.

▸ 군대 이발

86년 6월에 입대했다. 민주화 운동이 극에 달해 대학에 다니면서 자신의 의지와 상관없이 시위 대열에 얼굴을 내미는 일은 흔했던 시기였다. 사회적 갈등이 심했고, 정부에서는 가을에 있는 아시안 게임에 신경이 곤두서 있던 때라 사회는 더욱 혼란스러웠고 군에 입대하는 마음은 그 혼란에 부채질을 해댔다.

다시 못 올 길을 가는 것 같았다. 의정부 306 보충대를 거쳐 1사단 훈련소에 입소했다. 중학교 때처럼 안내문을 받아 머리를 민 게 아니라 빡빡미는 것을 당연하게 받아들이고 모자도 안 쓰고 기차를 타고 버스를 타고 보충대에 들어갔다. 훈련이 끝나고 내가 군 생활을 할 부대, 즉 자대에 배치됐다. 훈련이 끝나는 마지막 주에는 훈련소 연병장에서 그동안 갈고 닦은(?) 훈련을 부모를 초청해 보여주는데 이에 앞서 이발병에 의하여 6주 훈련받는 동안 기른 머리카락이 싹둑 잘려 나갔다.

군에서의 이발병은 따로 정해지지 않는다. 사단이나 연대 등 규모가 있는 곳에서는 사단장 등 높은 사람들의 머리 손질을 위하여 이발병이 배치되지만, 대부분의 부대에서는 손재주가 좋거나 하면 '니가 한번 해봐라' 해서 실력에 상관없이 시키는 게 보통이다.

이발은 토요일이나 일요일 햇볕이 잘 드는 곳에 의자 하나 놓고 나일론 가운 하나 목에 두르면 준비 끝이다. 이발병이 바리캉으로 뒤와 옆을 고속도로 내고 앞머리는 그래도 가위로 몇 번 채깍채깍 하고 그대로 물만 들이부으면 끝이다. 이발병이 고참병인 경우는 이발하는 내내 고역이다. 이 새끼 저 새끼 하면서 훈련을 못하네, 머리가 어떻네 하면서 일부러 바리캉으로 생머리를 잡아 뜯는 경우도 있다.

그래도 우리 부대 이발사는 참 좋은 후임이었다. 고참 이발사는 기억나지 않지만, 후임 이발사는 김종철이라고 하는데 키도 컸었고 체력도 좋아 훈련도 잘했다. 동료나 후임들을 잘 챙겨 다독여 고참이나 후배들로부터 신임도 많이 받았다. 동글동글한 얼굴만큼이나 성격도 둥글어서 모두가 좋아했다. 이 후임은 또 아침마다 서툴지만 기상나팔을 불어 우리를 깨웠었다. 사람 좋은 종철이가 보고 싶다.

▸ 직업과 이발

91년에 광산구청으로 발령받았다. 당시에는 사무실이 현재의 의회 건물 1층에 있었다. 무슨 업무를 했었는지는 잘 생각나지 않지만 얼마 후에 짧게나마 이용업 관련 업무를 맡았다. 미용업 업무는 다른 직원분이 맡았던 것 같다. 이쯤에는 노태우 정권이 범죄와의 전쟁을 선포했고, 모든 영업이 밤12시에 종료되던 때라 유흥주점, 이발소가 주요 단속 대상으로 분류되어 남자라는 특권으로 이발소 담당을 했던 것 같다.

내가 만났던 이발사는 두 부류다. 단속을 당해서 찾아오신 분이거나 영업 신고를 하러 오신 분으로 나뉜다. 전자는 보통 지하에서 영업하는 경우가 대부분으로 이발의 순수 목적에서 벗어나 영업하는 이발사로 만남을 피하고 싶은 유형이다. 이런저런 사유로 처분을 피하려고 하는 사람들이어서 그렇다. 후자는 동네 이발소나 목욕장 내에서 영업하시는 분들로 영업 신고를 하러 오는 분들이다. 지금의 내가 이용하는 동네 이발사 아저씨인 셈이다. 이분들은 나보다 나이가 훨씬 많다. 그래도 공적인 일을 하는 사람을 대우하는 풍토가 있어서인지 새파란 나에게도 꼬박꼬박 말을 높인다. 미안스럽기도 하고 더 잘해주고 싶은 마음이 든다. 지금은 이분들은 대부분 현장에서 떠났다.

예전에는 남자는 이용실, 여자는 미용실이었지만 변화하는 사회적 트렌드를 따라가지 못한 그들이 안타깝기만 하다. 지금은 나처럼 미용실은 전혀 이용해 보지 않은 고리타분한 사람들만 손님으로 받고 있으니 말이다.

▸ 의미를 찾다

머리카락을 자르고 매만진다는 것은 단정하게 한다는 것입니다. 나를 나답게 한다는 것입니다. 머리를 자르고 나면 스스로가 깔끔해지고 기분이 상쾌해집니다. 직장생활은 내 마음 같지 않습니다. 여러 사람이 있다 보니 한 가지 일에 대한 생각이 만 가지입니다. 당연히 받아들이는 게 다릅니다. 몸이 아프기도 하고, 마음이 아프기도 합니다. 이러한 아픔을 머리카락 자르는 것처럼 내 몸 상하지 않고 싹둑 잘라냈으면 좋겠습니다. 그런데 그렇게 할 수 없습니다.

현실적으로 아픔을 싹둑 자르는 방법은 망각입니다. 내 의지이듯 그렇지 않듯 불필요한 것을 잊어버리는 것은 나를 건강하게 하는데 꼭 필요합니다. 나이가 들어 건망증이 생기는 것은 신이 나에게 준 선물이 아닐까요? 내가 모든 걸 기억하고 있다면 내 머리는 터져버릴 것입니다. 나이가 들어가면 말을 아껴야 하고 행동은 심플해야 합니다. 나이가 들어가면 많은 일을 할 수 없기 때문입니다. 나를 컨트롤할 수 있을 만큼 말하고 생각하고 행동해야 합니다. 늘어놓고 주워 담지 못하면 주위가 혼란스러운 법이니까요.

직장 내에서 간혹 이런 말을 하는 직원을 자주 볼 수 있습니다. 모 과장은 일을 할 때는 눈물 쏙 빠지게 하지만 일이 끝나고 나면 아주 편하게 대해줘서 직원들이 참 좋아한다고. 그렇지만 저의 생각은 다릅니다. 이런 사람은 이중적인 성격을 가졌을 확률이 큽니다. 자신을 위하여 이것저것 다 할 수 있는 사람. 경계해야 될 사람이고 거리를 두어야 할 사람입니다. 사람은 모든 걸 일관되게 잘할 수 없습니다.

제가 그렇습니다. 그래서 저한테 이것저것 잘하기를 바라지 마세요. 여러분도 저와 마찬가지 일 겁니다. 너무 잘하려고 하지 마시고 할 수 있는 만큼 하시면 됩니다. 이것이 나으면 저것이 부족하기 마련입니다. 눈속임으로 하나를 잠시 가릴 수는 있지만, 양심을 숨길 순 없습니다. 내가 하는 일은 보답을 기대하지 않아야 합니다. 그러면 오히려 더 큰 기쁨을 누릴 수 있습니다.

내가 남을 도와주면서 남도 나에게 도움을 주어야 한다고 생각하고 있으면 남이 나를 도와주면 그저 그렇고 나에게 도움 주지 않으면 실망하게 됩니다. 그런데 내가 남을 도우면서 보답을 바라지 않으면 나를 도와주지 않더라도 괜찮고 혹여 나를 도와주면 엄청 기쁩니다. 우리가 하는 일이 직원 간에 하는 일이 그래야 한다고 생각합니다.

한 달 전쯤 서울에서 대학에 다니는 딸에게서 전화가 왔습니다. 새벽에 성당 미사를 다녀왔다는 겁니다. 깜짝 놀랐습니다. 성당이라고는 초등학교 때 외에는 다녀 본 적이 없는 딸이 갑자기 가족을 위하여 기도해 보고 싶다고 평일 새벽에 30분가량 버스를 타고 길음동 성당에 다녀왔다고 합니다. 갑자기 따뜻함이 목 언저리를 타고 올라왔습니다. 그 후로는 한 번도 성당에 나가지 않았지만요.

내가 기대를 전혀 하고 있지 않아 그 기쁨이 더 했습니다. 사람과 좋은 관계를 가지고자 한다면 자신이 가진 것을 덜어내는 것 외에 더 좋은 방법을 찾기는 힘듭니다. 머리카락을 잘라내는 이발처럼 덜어주는 것에서 행복의 의미를 읽어냅니다. 오늘만큼은 이발사가 되어도 좋다고 생각했습니다.

[열여덟 번째 러브레터]

듣는다는 것

(2022.11.21)

듣는다는 것

▸ 많이 슬프다

더운 여름철 대지의 열이 충분히 식어 사람들 마음도 편안해지고 코로나로 인한 압박감에서 벗어나 거리에 쌓이는 낙엽이 유난히 예뻐 보이고 이와 어울리게 괜스레 마음이 고독해져라 기도하고 싶고 입가에는 숨길 수 없는 옅은 웃음이 피어나는 깊어가는 가을 늦은 밤에 사람이 사람에 의해 깔려 죽는 이태원 참사가 발생했다.

얼마 전인 2022년 10월 29일이었다. 사상자는 외국인을 포함 350명이 넘어서고, 현재까지 사망자는 158명이나 된다. 아프거나 다치거나 피할 수 없는 사고가 아니라 시대의 아픔에 같이 고민하고 웃음을 나누던 그 이웃에 의해 눌리어 들이마신 숨을 헉헉거렸고 거칠어진 숨을 내뱉지 못했다. 참사 후 애도기간을 정하고 원인을 밝혀내고 대책을 수립한다고 야단이다. 그런다 한들 그들의 숨이 다시 돌아오겠는가? 그렇기만 한다면야 내 한쪽 장기를 희생한다고 하는 사람들은 부지기수일 것이다. 아무려면 무슨 일이든 마다 하겠는가?

당사자와 유족의 아픔은 내팽개쳐지고 현장에서 악전고투하던 경찰, 소방관에게 책임이 씌워지고 정작 책임져야 할 사람들은 자신만의 유불리를 따져 다가올 희망찬 미래를 위한 반도덕적 계산을 염두에 두고 싸우느라고 진흙탕이다. 국민은 법에서 정한 애도의 시간을 넘어서조차 아픔을 견디고 있지만 그들은 슬픔을 잊어버린 지 한참이 지났다. 누가 누구를 위로하는 것이 마땅한 것인가?

8년 전 따뜻한 봄이었다. 수학여행에 마냥 들뜬 학생들은 갑판에서 드넓고 깊은 바다를 보며 다가올 미래의 큰 꿈을 그렸고 친구들과 수다 떨고 좋기만 하던 그런 내 아이들이었는데… 그 바다가 부모와 선생님과 친구들을 이 사회에서 갈라놓을 줄 미처 몰랐다. 300명이 넘는 사망자가 발생했다. 국민들은 물을 무서워했고 안타까운 생각이 배를 타고 바다를 한참이나 건넜다. 원인을 찾고 대책을 마련하느라 이말 저말이 쏟아졌다.

아시아문화전당 광장에 설치된 세월호 추념식장

그러나 정작 그 결과는 이태원 참사로 이어졌다. 우리가 해왔던 대로라면 앞으로 이런 참사는 계속 이어질 것이 확실하다. 해결 방법은 단 한 가지다. 누구의 잘못이 아니라 '내가 잘못이다'라는 반성만이 아픈 쓰라림으로 이어져 앞으로의 참사를 막을 수 있을 것이다. 이태원 참사로 희생된 아이들과 국민, 그리고 머나먼 외국에서 생을 마감한 그들의 짧은 생에 명복을 빕니다.

▸ 일터의 하루

11월을 넘어서니 아침 바람이 차다. 한 꺼풀 더해지는 옷과 오그라드는 몸에서 겨울이 코앞임을 알 수 있다. 간밤에 몇 번의 뒤척임과 화장실을 오가는 일정을 뒤로하고 이른 아침 눈을 뜨면 칫솔질을 하고 물을 한 컵 마신다. 어쩐지 그래야만 건강을 지킬 것 같아 생긴 습관이다.

일과는 9시에 시작한다. 직원분들과 간단한 인사가 표면적 일과의 시작이고, 자리에서의 작은 소곤거림이 귀에 들리고 민원인이 출입문을 빼꼼 열고 들어서고 전화벨이 울리면 하루의 시작이다. 차를 좋아하진 않지만 일과 시작 전 커피 한 잔을 의무감인 듯 입에 대고 홀짝이다가 반쯤은 버리게 된다. 아침마다 즐겁게 일하자고 다짐해도 직장은 언제나 고달프다. 집에 남겨진 잡다한 일이 깔끔하지 않아 머리에 남아있고 책상 위에 밀린 일이 가슴을 짓누른다. 때려치울까, 다른 걸 해볼까 하다가도 매번 그렇듯이 그렇게 넘어가는 게 직장인의 삶이다.

우리 부서는 민원을 대하는 일이 많은 부서다. 음식점, 커피숍 하려는 사람들이 들르는 곳이다. 친구들이나 지인 혹은 가끔은 여행객이 맛집이 어디냐고 물어보는 부서다. 난 알지 못한다. 우리 부서에서 아는 것은 맛집이 아니라 법을 위반하여 입에 오르내리는 업소만을 알뿐이다. 맛집은 블로그나 검색을 통해서 알아보는 것이 빠르고 정확하다. 부서를 방문하는 사람들은 신청서를 작성하고 보건증을 만들기 위해 또는 관련 부서에서 확인받기 위해 건물을 이리저리 오르내리고 민원서류 접수하고 기다리다 허가증을 받아 간다.

요행히도 민원인이 적어 허가증을 빨리 받으면 다행이지만, 담당자가 현장 조사를 위하여 출장이면 옆에 앉은 직원이 다른 민원 상담하고 대신 업무처리를 하는 경우가 다반사라 만족하고 돌아가는 민원은 많지 않다. 그래서 민원처리 청렴도는 낮을 수밖에 없다. 누구라도 기다리는 시간은 엄청 길다. 1분이 10분이요, 10분이 1시간이기 때문이다. 기다리면서 말은 못 하지만 입이 삐죽 나오는데 좋은 평가를 기대하는 것은 어리석은 일이다.

그래도 영업허가 민원은 다행인 편이다. 부서를 방문하는 민원인 중 다른 한 부류는 적발되어 찾아오는 민원인이 있다. 이들 중 기분이 좋아 방문하는 사람은 단 한 사람도 없다. 둘레둘레 머리를 돌리다 팀 명칭 간판을 보고 조심스레 묻는 사람도 있지만 다짜고짜 담당자 이름을 부르며 찾는 사람도 적지 않다. 사람을 상대하는 일이 가장 어렵다는 것은 경험으로 알고 있지만 이런 경험이 사람 자체의 만남을 힘들게 한다. 이런 사람들의 목소리 톤은 높고 울린다. 억지를 부리는 경우 또한 많아 담당자를 힘들게 한다. 그리고 무엇보다 처분의 취소를 바라는 자신의 요구가 받아들여지는 경우는 없다. 이 부류의 사람이 평온한 마음을 가지고 나가는 경우도 없어 이 또한 좋은 평가를 받는 것은 포기 상태이다. 그래서 나를 찾는 목소리, 전화벨 소리가 무섭다. 그렇다 하더라도 좋은 평가를 받고자 하는 노력은 멈추지 않는다. 그들과 대화하려는 노력을 게을리하지 않는다.

미국의 첫 흑인 대통령이었던 오바마는 재임 시절 하워드대학교(howard university) 졸업생을 대상으로 한 축하 연설에서 21세기는 다양한 사람들의 생각을 존중해야 하는 민주주의 시대여서 상대방의 생각이나 행동이 자신이나 사회적 통념에 비추어 완벽히 잘못됐다 하더라도 그들과 끊임없이 대화하려는 노력으로 자신이 이루고자 하는 목표에 도달할 수 있다고 하였다. 이런 차원 높은 말을 민원인을 대하는 나와 비교하는 것은 아니지만, 그래도 이것과 가까워지려는 노력은 계속하고 있다. 혹여라도 내 생각이 틀릴 수도 있고, 설령 사회적 합의에 맞는다 하더라도 상대방도 나와 함께 사회를 이루는 구성원이기에 그렇다.

그런데 민원 부서에 근무하는 직원은 이것보다 더 신중하게 생각해야 할 게 있다. 얼굴을 마주 보거나 전화선을 통하여 이야기하고 설득하고 하는 것보다 더 중요한 게 있다. 바로 듣는 것이다. 관청(廳)을 의미하는 청(廳)자는 '목소리를 듣는 집'으로 해석된다. 민원인의 말을 충분히 이해하여 대화하고 잘 설득할 때 좋은 평가를 받는 것이지만 그것의 기본을 이루는 것은 듣는 것이기 때문이다. 듣고 또 들어주고 있다. 이렇게 하다 보니 나를 좋아하는 민원인이 있음을 느끼는 경우가 한두 번씩 생겨나 스스로 뿌듯하다.

이제 12시 점심시간이다. 보통은 구내식당에서 한 끼를 해결하는 편이다. 외부 음식점에서 밥을 먹으면 입맛은 더 충족되지만, 아침을 간단히 해결하고 저녁 약속으로 술도 한잔하는 경우가 있어 그래도 한 끼 정도는 영양가가 계산된 음식을 먹는 것이 내 건강을 지켜주지 않을까 하는 믿음에서다. 물론 내부 약속이나 알고 지내던 지인이 점심때를 맞추어 찾아오는 경우 외부에서 식사를 해결하기도 하지만, 대부분은 구내 식당을 이용한다. 이렇게 청 내에서 식사를 해결해야만 사무실 의자에 앉아 10분 정도 눈을 붙여 지난밤 뒤척이고 나이의 보답으로 얻게 된 전립선 약화로 인한 화장실의 들락거림으로 인한 잠을 보충할 수 있어서다.

가끔은 식사 후에 직원분들과 커피를 한잔하기도 한다. 취업 준비를 하는 취준생들은 직장인들이 식사 후 커피잔을 들고 따뜻한 볕과 시원한 바람을 맞으며 이야기하면서 걸어가는 모습을 동경한다고 한다. 그러나 이들은 알까 그렇게 좋아 보이는 모습도 나 혼자만의 여유가 아니라 직장 생활 일부분이라고 한다면 좋아하게 될까 하는 우스운 생각을 가져 보았다. 커피를 마시면서 이런저런 잡다한 얘기가 이어질까 하면 어느새 분침은 정각을 향해간다.

1시다. 오후 업무 시작이다. 오전과 별반 다르지 않다. 그러나 사무실 분위기는 사뭇 다르다. 영업 신청서를 접수하면 시설 조사를 가는데 영업장이라 아침 댓바람부터 갈 수 없어 오전에는 오는 민원인 상담하고 민원처리하고 현지 시설 조사는 오후에 가게 된다. 일단 표면적으로는 팀별로 인원이 반으로 줄어든다. 그래서 사무실의 소음도는 낮은 편이지만 전화민원, 요청 자료 제출 등으로 바쁜 것은 오전보다 더하다. 오후 근무 시간은 오전보다 2시간이 더 길어 피곤하기도 하고 업무로 받은 스트레스가 쌓여 신경이 날카로워지기도 한다. 간간이 도로에서 들려오는 사이렌 소리, 빵빵거리는 소리가 신경을 더욱 거슬리고 4시쯤이면 몸이 처진다. 컴퓨터 쳐다보는 눈이 시큰거리고 몇 년 전부터 아프던 왼쪽 허리의 통증도 느껴진다.

업무로 직원들과 얘기하고 창밖을 바라보고 있으면 어스름한 것이 퇴근을 가리킨다. 6시다. 퇴근 시간이다. 미리 시간을 맞추어 놓은 알람처럼 정시에 나간다. 그렇지 않으면 무슨 일이 벌어질 듯 마음이 편치 않다. 컴퓨터가 꺼지고 출입문을 밀어젖힌다. 내가 가장 잘하는 일이다. 힘들이지 않는 일이고 집에 가서 아내가 차려준 맛깔난 저녁을 먹을 수 있고 친구 만나 소주 한잔하고 싶은 욕망이 일어나는 시간이기 때문이다. 망설일 이유가 없다. 직원들도 이때는 박수 칠 것이라는 믿음도 한몫한다. 박수를 받을 일이 어디 흔하게 있는 일이 아니지 않는가? 그렇게 이후의 시간을 더하여 나의 하루는 마무리된다.

▸ 소음

인체는 여러 부분으로 이루어져 있다. 기능을 중심으로 보면 생각하는 뇌, 작업하는 손, 듣는 귀, 숨 쉬는 코, 먹는 입, 걷는 다리, 오장 육부가 있다. 어떤 사람은 폐가 발달하여 달리는데 뛰어나고, 어떤 사람은 머리가 좋아 공부를 잘하고, 어떤 사람은 손이 혹은 다리가 불편한 사람도 있다. 그래서 자신이 잘하는 일이 달라진다.

나는 듣는 것에 대한 민감함을 가지고 있다. 비록 타인에 대한 이야기라도 싫은 소리를 듣게 되면 거북하고 마음이 쪼그라들고 흔히 하는 말로 스트레스를 홀로 받는다. 그래서 좋은 이야기만 했으면 하는 마음이 강하다. 밤에 잠자리에 들기 위해 누웠다. 늦은 시간이라 차가 내는 윙윙거리는 소리도 잦아들고 사람들의 목소리도 없어졌다.

그런데 쿵쾅쿵쾅 소리가 들려온다. 귀를 세우니 방 안에 있는 벽시계의 초침 소리다. 째깍째깍이 천둥소리로 바뀌었다. 이렇게 잠 못 드는 날은 마음에 담겨있는 무언가가 있기 때문이다. 사무실이나 집 또는 사람과의 관계에 문제가 있었다는 얘기다. 마음을 다잡고 눈을 다시 감아보지만 쉽게 잠을 이루지 못한다. 이런 때는 차라리 그대로 생각의 산책을 하는 게 좋다는 것을 안다. 마음이 복잡하여 실타래처럼 엮여 있을 때 가볍게 이런저런 마음의 걷기를 하다 보면 어느 순간 스르르 잠에 들게 된다.

사람이 죽음을 맞이하게 되면 마지막까지 그 기능이 남아있는 것이 귀라고 합니다. 신체의 모든 기능은 멈추어도 귀는 열려 있다고 합니다. 의사의 사망선고가 났더라도 가족이 사랑한다고 말하거나 마음 편히 모든 걸 내려놓고 가도록 얘기하면 응답으로 눈물을 흘리는 경우가 있다고 합니다. 그런 만큼 듣는다는 것은 중요한가 봅니다. 여러분도 누가 듣지 않더라도 좋은 말 많이 해보시기 바랍니다. 누군가는 듣고 있습니다. 그 답은 좋은 말을 했던 당사자의 것이 될 것입니다. 듣기 싫은 소리는 소음에 비유됩니다. 아무리 큰 소리라도 내가 싫지 않으면 소음이 아닙니다. 고막을 찢어대는 좋아하는 가수나 BTS의 노래를 듣고 소음이라 생각하는 사람은 많지 않을 겁니다. 그렇지만 작은 시계 초침 소리라도 소음이 될 수 있습니다.

많은 민원인을 상대하는 직원분들의 입장에서 보면 어쩌면 소음과 맞닿는 일이 훨씬 많습니다. 기분이 언짢아지고 에이~하는 소리가 나옵니다. 그렇더라도 어떡합니까? 대한민국 헌법에는 직업선택의 자유가 있어 우리 사무실을 들르는 것이고 또한 재산권 보장받을 권리가 있는 것을 보면 영업으로 인한 이익을 추구할 권리도 있다 할 것이므로 헌법을 충실히 이행하고자 하는 사람들인데 우리가 잘 들어주어야 하지 않을까요? 듣고 싶지 않은 것도 들어야 오히려 편안한 때도 있습니다. 민원인의 주장이 주파수가 맞지 않아 지지직거리는 라디오의 소음이라 할지라도 들어 주어야 할 때는 있습니다.

귀에 손을 가져다 대고 비비면 잡음이 일어 가까이에서 말하는 것도 듣기가 어렵습니다. 그렇구나 하고 조금 떨어져서 들으면 잘 들을 수 있습니다. 광화문에서 소리를 높이는 某人은 자신이 말만 하니 하느님의 목소리를 들을 수 없습니다. 무슨 말을 하는지 귀 기울여도 듣기 힘든데, 확성기 들이대고 스피커 볼륨 올리니 제대로 들을 수 있을까요? 하느님의 목소리를 들어야 세상의 빛을 전할 수 있음을 정작 자신은 잊고 있는 것 같습니다. 상대방의 귀에 대고 말하지 말고 들어보세요.

▸ 삐딱한 나의 생각 둘

하나, 우리 조직의 일은 협력보다 개인의 자질을 살려주는 쪽으로 방향을 틀어야 합니다. 구정 업무를 추진하면서 협력 또는 협치를 무척이나 강조합니다. 이것을 수치화하여 평가에 가산점을 주기도 합니다. 부서의 칸막이를 없애고 불필요한 일도 줄이고 구정 목표를 달성하여 시민이 잘 살 수 있도록 하자는 것입니다. 그런데 생각해 볼 일입니다. 협력은 말로 뱉는 데는 쉽지만 행하는 것은 너무 어렵다는 것은 누구나 알고 있습니다. 내 속내를 드러내 보인 것 같아 민망하기도 하고 손해 보는 것 같고 혹여라도 협력으로 인한 업무가 내 부서로 온다면 팀장이나 과장의 눈치를 보게 되어서 그렇습니다. 그리고 협력하였다 하더라도 노력에 비하면 과정이나 결과는 크게 다르지 않다는 것을 알고 있습니다.

진화론자인 찰스 다윈은 자연환경에 잘 적응한 집단이 살아남았다고 하였고 제 생각에 생물학 저서의 바이블이라 할 수 있는 '이기적 유전자'의 저자인 리처드 도킨스는 어쩌면 내가 해석을 잘못했는지 모르겠지만, 정의의 반대편에 선 인간의 후손이 지구상에 살아남아 주류를 이루고 있다고 하는 것을 보면 인간이 유전적으로 타인과 협력하는 것은 힘든 것이라 할 수 있을 것입니다.

그래서 조직의 일을 추진함에 있어서는 협력을 강조하는 것보다는 개인이 잘하는 일을 적극 지지해 주고 보상해 주는 것이 오히려 좋지 않을까 하는 생각입니다. 협력은 시스템으로 보완해야 합니다. 개인의 생각이 모두 다르고 다양성의 21세기는 생각의 전환도 필요합니다. 협력은 하지 않으면 생명이 위태로운 군인이나 산악지역, 높은 산을 등반하면서 생명줄을 서로 잡아주는 그런 경우에 반드시 필요하다는 생각입니다.

둘, 자신의 수준을 높이는 일에 힘써야 합니다. 여러 명 이상의 사람이 모이는 곳에는 리더가 있어서 그 조직의 일에 대하여 관여하고 결정합니다. 우리 조직도 마찬가지입니다. 조직원은 주어진 일에 책임을 지고 추진하며 간혹 반대 의견을 펴기도 하지만 보통은 따라가는 편입니다. 그러다 보니 수동적이 되고 조직에서도 멀어지게 됩니다. 그와 동시에 불만도 쌓이게 됩니다. 조직원이 적극적이면 조직은 건강해집니다. 조직원을 건강하게 하는 일에 대하여 살펴봅니다.

책은 반드시 읽어야 합니다. 선택이 아닌 필수입니다. 요즘에는 책을 읽어주는 프로그램도 있고, 무엇보다 인터넷으로 필요한 지식을 얻는다고 하지만 그럼에도 종이책이 줄어들지 않는 데에는 충분한 이유가 있습니다. 종이 냄새가 좋고 스스슥 넘어가는 소리가 좋다고 하는 사람도 있고, 마지막 장을 넘길 때의 뿌듯함은 희열을 담습니다. 나만의 시간을 가질 수 있고, 나의 생각을 온전히 담아 볼 수 있기 때문에 더욱 그렇습니다.

혹자는 책을 읽지 않은 사람과 대화하다 보면 어느 순간 벽을 마주하게 된다고 합니다. 타인에 대한 존중 없는 갑갑한 느낌을 받는 경우라 합니다. 부모님 시대 이전에는 배우고자 하여도 기회가 적어 책을 가까이할 수 없었습니다. 그러다 보니 내가 스스로 부족함을 알았습니다. 그래서 겸손했고, 행동거지를 조심했습니다. 그러나 지금 검색으로 모든 것을 찾고자 하는 사람들은 자신의 지식적 부족을 알지도 못하고 인정하려 하지 않습니다. 핸드폰에서 손가락 몇 번 움직이면 해결할 수 있다고 생각합니다. 그러나 실제로는 아는 것이 없고 겸손함도 없고 남과 함께 하는 게 힘든 사람입니다. 세상을 함께 살아가는 가장 좋은 방법은 다양한 책을 읽는 겁니다.

조직원의 일원으로서 노조 활동에도 관심을 가져 보시기 바랍니다. 우리나라 노조 가입률은 정확지는 않으나 약 10% 내외인 것으로 알고 있습니다. 대기업의 노조가 권리의 대부분을 차지하고 있다는 의견에 동의합니다. 그러나 저는 그렇게 넓게 생각하는 것은 아니고, 최소한 우리 조직에서의 권리를 찾아가기 위해서는 노조의 건강한 활동이 필요하다는 의견입니다.
부조리한 일과 맞서 많은 부분에서 정당성을 찾고 있고, 근무 여건 등 복지 분야에 있어서도 유리한 측면이 많습니다. 그런데 많은 직원들이 자신의 권리를 머릿속에 생각하고 있지만 참여는 여러 가지 사정으로 앞으로 나아가지 못하고 있습니다. 권리는 누가 찾아주는 것이 아니고 내가 찾는 겁니다. 권리를 찾는 행사에 참여하여 내 목소리를 전달하는 것은 조직원의 역할입니다. 건강한 노조 활동은 건강한 조직의 밑바탕입니다. 위와 같은 내용을 참고하여 자신의 가치를 높일 수 있는 일을 찾아보세요.

▸ 마무리

이미 난 길을 따라가면 아름다운 것을 볼 수 없습니다. 편하지만 삶이 지루하고 쉽게 권태감에 젖어듭니다. KTX를 타고 가면 목적지에 빨리 도달하지만, 잎이 노랗게 또는 갈색으로 물들어가는 가을의 정취를 느끼기에는 부족합니다. 광주송정역에서 광주역을 오가는 셔틀 기차를 타고 가다 보면 다른 세상과 만나게 됩니다.

15분의 짧은 시간이지만 다른 많은 것을 보게 됩니다. KTX처럼 날렵하지도 않고 예쁘지도 않습니다. 기차는 페인트가 벗겨져 녹이 보이기도 하고 덧칠을 해놓아 조잡합니다. 그러나 차창 너머로 재잘거리는 아이의 우스꽝스러운 모습도 만나고 이때쯤이면 곳곳의

갈대숲이 마음을 머물게 합니다. 강을 따라 걷고 있는 사람들의 표정까지도 읽습니다. 속도를 조금만 늦추어도, 방향을 조금만 바꾸어도 아주 색다른 풍경을 마주하게 됩니다. 겨울 초입 곳곳 늦가을의 아름다움을 느껴보시기 바랍니다.

칠이 벗겨지고 오래된 광주송정역-광주역 셔틀열차

셔틀열차 내부 모습

과장의 역할은 부서의 방향을 결정합니다. 우리가 주변에서 흔히 볼 수 있는 새는 비둘기입니다. 우연히 비둘기의 착지 모습을 보게 되었습니다.

얼마 전 출근길에 아파트 단지에서 비둘기가 분홍색의 두 발을 가슴 앞에 착 붙이고 고개를 이리저리 돌려 안전한 지점을 확인하고 천천히 내려오고 있었습니다. 그런게 과장의 역할이라 생각했습니다. 쉽지 않습니다. 나름대로 방법을 찾습니다. 듣고자 노력하고 있습니다. 내 자리에서 가장 멀리 있는 팀은 보는데 시야의 제약은 있지만 귀로 듣는 데는 하나 부족함이 없습니다. 잘 보이지 않는 대신 궁금함으로 관심을 가장 많이 두어 제일 잘 알 수 있습니다. 듣는다는 것은 처음과 끝을 연결하는 가장 중요한 기능입니다. 듣는 것을 공동체의 일원인 민원인과 함께한다는 것은 공무원의 의무이지 않나 싶습니다.

[열아홉 번째 러브레터]

소통(疏通)

(2023.1.12)

소통(疏通)

▸ 나른하다

2023년 계묘년 새해가 시작되었습니다. 지난해 종무식에 이어 차분하게 진행된 시무식, 무엇보다 우리 과가 보건소에서 시민생활국으로 소속을 옮긴 때라 마음이 싱숭생숭했습니다. 올해 첫 휴일 일요일 저녁입니다. 어제와 오늘은 마냥 늘어지게 쉬었습니다. 오랜만에 주말에 별다른 일이 없어 차가운 날씨와는 다르게 무덤덤한 이틀의 연속이었습니다.

그러는 와중에 저녁이 되자 평상시 일요일 저녁처럼 문득 내일의 출근이 여간 부담스러웠습니다. 가기 싫다. 월요일 하루만 더 쉬고 싶다는 생각이 강하게 들지만, 내일도 반드시 출근을 해내고야 말겠다는 다짐과 함께 어쩔 수 없이 내일의 쉼을 쉽게 포기하게 되는 시간이기도 합니다. 그러면서 과장이라는 관리자 역할을 맡은 나도 월요일 출근이 힘든데 어떻게라도 눈치를 볼 수밖에 없는 직원들은 얼마나 더할까 하는 생각을 하니 미안하기도 하고 그들과의 눈높이를 어떤 방법으로 맞출 수 있을지 잠깐 생각했습니다.

저녁 식사를 하고 과자 한 봉지를 들고 TV를 마주하니 볼만한 프로그램이 없다는 투덜거림과 함께 리모컨의 버튼을 오르락내리락하다 보니 '자연인이다'라는 낯익은 프로그램이 눈에 띄어 채널을 고정합니다. 50대 이상의 연령에서 많이 보는 프로그램입니다. 장작을 패서 땔감으로 쓰고 밭을 일구어 채소를 얻고 나무와 버려진 고철을 이용해서 집을 짓기도 하고 계곡물을 이용하여 몸을 씻는 등 남의 눈치를 보지 않고 혼자 살아가는 산속에서의 날것의 삶을 개그맨이 1박2일 함께 생활하며 리얼하게 보여주고 있습니다.

이 프로그램은 중년 이후의 삶을 살아가는 나와 비슷한 세대에게는 어릴 적의 기억이 문득 돋아나게 하는 향수를 불러일으키고 직장 내 경쟁, 잘 입지도 잘 먹지도 못하는 하위의 삶, 뜻대로 되지 않은 사업, 기대치를 웃돌아 주기를 바라는 자식에 대한 염려, MZ세대가 주류를 이루는 환경에 적응하려고 몸부림치는 도시에서의 찌든 삶을 대리만족으로나마 잠시 씻어줄 수 있는 느낌을 주기에 어느 정도껏 충분하다고 생각합니다.

이와 유사한 의미를 주는 프로그램이 하나 더 있습니다. 세계 도시와 그곳에서 살아가는 사람들의 이야기를 들려주는 '걸어서 세계 속으로'입니다. 코로나 이전에도 자주 보았지만 마음대로 여행할 수 없었던 코로나 시대에는 가히 폭발적 인기를 누렸습니다. 지금도 여전히 그렇습니다. 내가 가보지 못한, 경험하지 못한 삶을 부드럽고 명쾌한 목소리의 해설과 다양한 국적의 사람들이 살아가는 이야기를 아름다운 화면으로 꽉 채워 소개해 TV에서 눈을 떼지 못하게 하는 매력을 가졌습니다.

이 두 프로그램의 키워드는 '자연스럽다' 입니다. '만들다.', '인위적이다'라는 말과 대립됩니다. 인간이 사는 세상은 흘러가는 대로 가만두면 좋으련만 부수고 쾅쾅 뚝딱거리고 만들어져 삐딱하고 강한 사고가 세상을 지배하여 왔습니다. 아파트와 건물이 높게 올라가고 자신의 욕심을 채우는 권력을 가진 자들이 존경받고 부정한 방법으로 많은 재물을 탐한 자들이 잘 살아가고 우리는 이들을 우러러보는 사회의 당연함에 수긍하며 살아왔습니다. 이들에 의하여 선한 약자가 핍박받고 다수의 시민이 곤란에 처하고 어떤 나라에서는 전쟁의 피해를 고스란히 받아내고 있습니다. 그렇지만 세상은 여전히 그대로 존재하고 그것을 자연스러움이 묵묵히 견디게 하는 힘을 주고 있습니다.

공동체의 질서를 지켜주고 우리가 직장에서 존재하는 목적으로 사용되는 법(法)이라는 것도 '물(水)이 흐른다(去)'라는 의미로 만들어진 것으로 보아 세상의 이치는 물이 흐르듯 자연스럽게 흘러야 하고 법은 그런 이유로 만들어졌다는 것을 알려주고 있습니다. 우리가 '자연스러움'을 가져야 하는 이유입니다. 위에서 언급한 프로그램의 '자연스러움'은 나와의 내적 소통으로 이어집니다. 내일의 출근이 걱정되는 나른한 일요일 저녁의 생각입니다.

▸ 세대 구분

직장 내에서 중요한 문제의 하나이기도 하고, 어렵게 여기는 것도 소통입니다. 나름 신경써서 행동하고 이야기한다 하여도 MZ 세대와의 접점을 찾기는 쉽지 않습니다. 알아갈수록 더욱 어렵다는 느낌입니다. 차라리 어려운 수학 문제를 머리 싸고 푸는 게 나을 듯합니다. 무언가를 처음 하고자 할 때는 두렵지만 막상 부딪혀보면 할 만하다는 생각이 들지만 조금 더 깊숙이 들어가면 어렵다는 느낌이 들 때가 있습니다. 지금 MZ 세대와의 소통이 그렇습니다.

직장은 직급을 기반으로 이루어진 조직이지만 혹은 선후배로 이루어지기도 하고 그 폭이 넓다 보니 친구의 아들, 딸과 함께 근무하기도 합니다. 그래서 이해하려고 해도 쉽지 않고 다짐에 머무를 때가 태반입니다. 과거의 직장 분위기를 얘기하면 꼰대로 취급되어 대화에서 밀려나게 되고 앞으로는 초청받지 못할 사람으로 분류됩니다. 그래서 대화에 참여하기 힘들어지고 대화 자체를 꺼려하는 면도 있습니다. 대화에서 잃는 것보다 가만히 있어 본전이라도 지키자는 심산입니다.

보통은 한 세대를 30년으로 구분합니다. 태어나서 자라고 결혼하여 가정을 꾸리는데 걸리는 기간이기 때문인 것 같습니다. 그러나 10년이면 강산이 변한다는 말이 요즘 세대 구분에 사용되는 기간인 것 같습니다. 세대를 구성하는 기간이 단축되기도 하고 세분화되었기 때문입니다. 나의 기준으로 부모님 세대를 영어 알파벳으로 표현하는 것은 듣지 못했습니다. 굳이 표현하자면 그냥 기성세대로 통칭 되었습니다. 당시에는 세대를 구분할 필요도 없었고, 그럴 만큼 사회 구조가 복잡하지도 않았습니다. 그냥 할아버지, 아버지, 청년, 어린이로 구분했습니다. 그러나 각 분야에서의 발전은 사회를 세분화, 복잡하게 만들었고 세대가 가지는 특징에 따라 구분하게 되었습니다.

일반화된 세대 구분은 보통 이렇습니다. 1950년 북한의 남침으로 시작된 한국전쟁 때부터 1964년까지는 혼란스러웠던 시기로 전쟁으로 어수선하고 불규칙한 사회이기도 했지만, 전쟁 후에는 출산이 급증하고 급속한 경제적 발전을 이루어 낸 시기로 보통 '베이비붐' 시대라고 합니다. 그들은 척박하고 빈약한 환경에서 일했고 자신을 돌볼 환경이 마련되지 않은 곳에서 일했고 몸과 마음을 희생하면서 일했습니다. 경제적 발전을 이룬 일등 공신이었으나 지금은 거의 대부분 퇴직하였고, 이제는 스스로가 무능력자라고 생각하고 몸은 늙어가고 노후는 마련되지 않아 정부에서는 이들의 문제를 걱정해야 하는 참으로 안타까운 세대로 전락하였습니다.

그다음은 1965년생부터 1979년에 태어난 세대로 제가 이 세대의 앞머리에 속하는데 우리가 자랄 적에 어르신들이 흔히 하는 이야기로 요즘 젊은 것들은 싸가지도 없고 뭘 하는지 속을 알 수 없다 했습니다. 이렇게 속을 알 수 없다 해서 'X세대'라고 하는데, 고도의 경제성장 속에서 태어나 경제적, 문화적인 풍요를 누린 첫 번째 세대이자 마지막 세대가 될 것이라고 예견되는 세대입니다. 부모를 봉양하는 책임을 지는 마지막 세대임에도 자식에게 봉양 받지 못하는 첫 번째 세대라고 하는 말로 대변되기도 합니다. 이 세대를 낳고 기르신 부모님은 지금은 대부분 연로하여 고향에 계시나 여러 가지 형편으로 직접 모시지 못하고 걱정만 하고 있어 부모님을 생각하는 마음을 무겁게 느끼고 있고 한 가정을 책임지면서 자녀들의 경제적 자립을 지켜 보고 교육비를 쏟아붓고 있는 어려운 세대입니다. 우리 과 팀장님들도 여기에 속한 세대입니다. 저도 그렇습니다.

다음은 MZ 세대입니다. 1980년대부터 2009년의 약 30년에 걸쳐 태어난 세대로 개인주의를 특성으로 가진 세대입니다. 나의 것만을 챙기고 나만을 생각하는 이기주의와는 구별됩니다. 남에게 관심받기 싫어하고 굳이 남에게도 관심을 주려고 하지 않는 특성을 가지고 있으며, 형제자매가 없이 혼자 태어나 부모의 독점적 사랑을 받는 세대입니다. 우리나라 전체 인구수의 30%를 넘다 보니 경제 및 소비의 주요 세대로 현재 우리 사회에 가장 큰 영향력을 행사하는 중심세력입니다.

왕성한 활동성을 가진 나이이다 보니 사회의 모든 분야에서의 활동도 두드러지고 다양한 콘텐츠와 문화, 경제, 정치의 관심이 이들에게 집중되고 있습니다. 한편으로는 사회의 흐름이 본인들의 생각하는 삶의 사고와 딱 맞지는 않아 스트레스를 받고 상호 경쟁에

휘둘린 세대라고 할 수 있습니다. Z세대는 1995~2009년생이나 MZ 세대 마지막에 위치하며, 스마트폰 등 IT 기술에 능한 세대라 하여 별도로 분류하고 있으나 MZ 세대에 포함되어 통칭되는 것이 일반적입니다.

그리고 앞으로 주목하여야 할 세대는 알파 세대입니다. 2009년 이후 태어난 세대로 그 선두는 현재 중1쯤으로 단어에서 느껴지듯 어떻게 될지 모르는 세대입니다. 알파라는 단어에서 알 수 있듯이 영어 알파벳이 한 바퀴 다 돌고 다시 시작한다는 의미를 가집니다. 그래서 이전 세대와는 전혀 다른 첫 세대라는 의미입니다.

성공적 삶이라는 것은 의사, 변호사 등 소위 돈 잘 벌고 좋은 직장을 가지는 것이 아니라 자기가 좋아하는 일을 하는 것이라는 생각을 가진 밀레니얼 세대 1980년대(1980~1994년생)의 자녀로 완벽한 디지털 세대입니다. 알파 세대는 다양성을 인정하나 자기 중심성이 강한 세대입니다. 태어날 때부터 디지털 세대라 이전 세대와는 완벽히 다른 생각을 가졌습니다.

이와 관련해 우리 과 업무와 관련하여 생각해 보면 왜 일은 사무실에 나와서 해야 하며, 왜 함께 점심을 먹는지, 종이 서류에 신청서를 적는 것은 아둔한 일이며, 굳이 현장에 가서 시설을 확인하고 직접 눈으로 보아야 하는지에 대한 강한 거부감을 표현하는 세대라 할 수 있습니다. 이러한 일은 잘 만들어진 시스템과 몇 번의 손놀림으로 할 수 있다는 자신감을 가진 세대입니다. 이러한 생각과 행동으로 인해 MZ 세대를 구세대로 밀어내는 건 잠깐의 시간이면 충분하다고 느껴집니다. 이들이 사회에 본격적으로 진출하게 되는 10년 뒤에는 MZ 세대는 기억 속에만 살아있는 지금의 나의 세대와 같은 세대가 될 것임은 어렵지 않게 짐작됩니다. 알파 세대 이후는 어떤 세대로 불릴까 하는 궁금증을 가지니 재미도 있고 호사가들의 말도 기대됩니다.

그럼 어떻게 해야 소통이 가능할까요? 무슨 이야기를 하는지 귀를 세워야 하나요 아님 그들만의 이야기를 하도록 지켜보아야 할까요? 자리를 마련해야 할까 자리를 피해 주어야 할까. 그 답을 '자연스러움'에서 찾습니다. 굳이 힘들게 만들지도 피하지도 않고 물과 바람이 내 피부를 간지럽히고 가는 느낌, 그 정도가 좋을 것 같습니다. 그러면 '자연스러움이' 혈관을 타고 내 온몸에 흐릅니다. 비로소 따뜻합니다.

▸ 소통에 필요한 것

소통은 직장, 부부, 부모와 자녀, 친구 등 모든 인간관계에서 필요함은 모두가 잘 알고 있습니다. 소통은 어떻게 어떤 마음으로 해야 할까요? 요즘은 직접적인 대화보다 SNS, 카톡 등을 사용하는 경향이 보편적이고, 소통은 단어 자체에서도 중요함을 찾을 수 있습니다. 우리 구만 보더라도 구청장님이 현장에 직접 나가 시민들의 의견을 듣는 '경청'을 진행하고 있고, 2023년 새해를 맞이하여 동별로 찾아다니며 '주민과의 대화'를 이어가고 있습니다. 각 자치단체마다 열린 구청장실을 온라인으로 운영하며 그에 대한 답을 제시하고 있습니다. 그만큼 중요하여 소통에 드는 시간과 노력을 아끼지 않고 있습니다.

이렇게 중요한 소통, 어떻게 해야 할까를 생각해 봤습니다. 첫째는 무엇보다 타인의 다름을 받아들여야 한다는 것입니다. 나는 남과 다른 것임은 분명하고 더욱이 21세기는 다양성을 존중하는 민주주의 시대여서 한 개인 개인이 주체적 인간으로 평가받고 있으며 앞으로 주력 세대인 알파 세대의 가장 중요한 특징이 이것이기 때문입니다. 다름을 받아들이는 것은 상대방을 존중하는 마음이 있는 것으로 나와 상대방을 편안하게 해줍니다.

둘째는 상대방을 이해하려는 노력이 필요할 것입니다. 내가 아무리 상대방의 이야기를 잘 듣는다 하여도 내가 살아온 삶의 과정이 그들과 다르기 때문에 이를 완벽하게 받아들이는 것은 어렵습니다. 걸어 다닐 때는 왼쪽이 이제는 오른쪽 보행으로 바뀌었고, 한 분야에서 탁월한 실력이 우대받는 시대를 지나 융합이 인정되는 시기에 접어들었습니다. 사회도 바뀌어 가고 있는데 인간의 생각이 바뀌지 않는다는 건 사회현상을 이해하지 못하는 오류에서 생깁니다. 나를 이해하여 주기를 바라기 보다 상대방을 먼저 이해하려고 하는 사고가 소통의 시작점이라는 생각입니다.

셋째는 소통은 우리라는 공동체 의식을 버려선 안 됩니다. 소통은 기본적으로 나는 나, 너는 너라는 경계를 넘어서고, 나만 너만 하는 생각을 가질 거라면 애초에 소통은 있을 필요가 없을 것입니다. 소통하는 목적은 비록 처음에는 사적인 영역이라 할지라도 어느덧 공동체의 목적에 가깝게 되기 때문입니다. 시민을 바라보는 공직자는 더욱 그렇습니다. 서로를 빗대어 보는 비교를 누르고 하나의 목표를 위해 함께하는 동반자라는 생각은 앞선 세대와 주력 세대를 이어주는 튼튼한 동아줄이 될 것입니다.

▸ 어떤 사람이 되지?

며칠 전 연말에 뉴스를 보니 기업체에서 희망퇴직을 받는다는 뉴스가 나오고 있었습니다. 우리가 직장 내에서 자주 쓰는 선제적이라는 표현이 여기에 활용되고 있었습니다. '1982년생부터 선제적 희망퇴직 신청'이라는 제목하에 경제적 어려움에 따른 경영난을 해소하기 위하여 선제적으로 희망퇴직 신청을 받는다는 거였습니다. 1982년생이면 MZ 세대이고 나이로 보면 갓 40살입니다. 앞으로는 기업에서 채용 공고 시 정년을 40세로 하겠고, 직업 정년은 힘든 시대가 오겠구나 하는 약간의 도발적인 생각도 해봤습니다. 그래도 예전에는 기업에서 50대 초반 희망퇴직 신청을 받는다는 말을 듣고 그만두면 저 사람들은 뭘 할까 하는 고민도 있었는데, 기업에서 40세에 희망퇴직을 받게 되면 앞으로는 공무원도 선제적이라는 단어를 넣어 희망퇴직을 받는 것 아냐 하는 두려운 마음도 가졌습니다. 그래도 은연중에 우리 직장은 많은 돈을 벌지 못하지만 이렇게 나가라고 압박하지 않아서 다행이라는 생각에 일순 안도감을 가졌습니다.

갯벌은 지구의 허파라고 합니다. 갯벌에는 게, 고동 그리고 낙지 같은 연체류가 다양한 방법으로 살고 있고, 새들의 주요 먹이 공급처이기도 합니다. 그리고 무엇보다 갯벌이 중요하다고 하는 것은 오염물질을 걸러주는 필터 기능을 통해 생명력을 키워내고 있다는 것입니다. 우리나라의 갯벌은 남해안을 따라 서해안에 걸쳐져 있고 그중에도 전라도 해안에 가장 많은 갯벌이 발달해 있어 청정 보고의 시발점입니다. 우리가 보기에는 이 갯벌이 새카맣게 그을린 어부들의 작업 현장에 그칠지 몰라도 적어도 그 이면에는 바다를 지켜주고 아이를 키워내는 어머니의 강인하고 부드러움이 있는 곳입니다. 육지와 연결된 곳에는 습지 공원, 생태공원이 있어 마음을 편안하게 해줍니다.

그렇습니다. 적어도 나는 도시에서의 삶처럼 눈에 띄어야 하는 사람이 아닐지라도 이렇게 편안하게 숨을 들이쉬고 내뱉는 데 도움을 주는 갯벌과 같이 다양한 사람과 삶에 대해 이야기할 수 있는 소통하는 사람이 되고 싶습니다.

▸ 따뜻하게

예전에는 겨울은 삼한사온이라 했는데 한참 내려간 영하의 추위가 한 달여를 지속하고 있습니다. 기후변화를 실감하고 있습니다. 이럴 때는 데워진 이불 속에서 빠져나오기 싫고 김이 피어오른 커피 한 잔이 그리워지는 때입니다. 그런데 이런 결로는 한순간의 추위를 이겨낼 순 있어도 몸과 마음을 따뜻하게 하는 건 사람의 온기가 아닐까 합니다. 따뜻한 말 한마디, 격려, 토닥거림이 추위를 물러나게 하고 살맛 나는 세상을 만들어 가지 않나 싶습니다.

추위가 맹위를 떨칠수록 사람의 온기가 더욱 필요한 법입니다. 인간은 큰일이 닥치면 서로 함께하려는 경향이 있습니다. 3년 전 코로나가 시작, 확산되었을 때 우리는 각자의 일을 잠시 접어두고 위험한 코로나 현장에서 함께 했습니다. 그래서 그 위기를 벗어나 다시 도약하는 기회로 삼았습니다. 그런데 정작 중요한 것은 큰일이 닥친 얼마 후입니다. 설문조사에 의하면 코로나 확산 초기 우울감은 23%였으나 얼마 전 거리 두기 해제를 앞둔 시점에서는 51%였다고 합니다. 어려울 때는 나만이 아니라 모두가 고통받는다고 생각하여 그 상황을 긍정적으로 받아들이지만, 그 이후에는 각자도생하다 보니 경제적으로나 정신적으로 내쳐진 경우 더 심각하게 받아들인다고 합니다.

지금 이 시기는 코로나 방패막이었던 마스크를 해제하려 하는 시점으로 취약자의 아픔이 내쳐질 때입니다. 이런 시각에서 보면 사회적 약자에 대한 온기도 한번 생각해 보게 됩니다. 택배 물건을 배달하는 택배 노동자의 힘씀, 맛있는 배달 음식을 나르는 오토바이 운전자에게 처해진 위험, 사회 곳곳에서 자신의 희생에 대한 보답 없이 행하는 선행에 대하여 한 번쯤은 감사의 마음을 가져야 하는 건 사람의 온기입니다.

직원 그 자체를 보도록 노력하겠습니다. 비교하지 않고 본질을 보는 눈을 갖추도록 힘쓰겠습니다. 그래서 그 직원이 어디 가도 값어치 있는 명품 직원이 될 수 있도록 노력하겠습니다. 이번 인사로 함께 근무하게 된 SY, NR, YS씨 그리고 공직 생활을 갓 시작하는 SH씨에게는 도움이 되는 선배로 기억되면 좋겠습니다.

[스무 번째 러브레터]

만약에

(2023.3.3)

만약에

▸ 빼박 인프제

사람의 성격을 살펴보는 방법은 여러 가지가 있다. 얼굴을 보는 관상이 있고 태어난 시(時)를 보기도 하고 말투, 행동거지, 손금을 통해서도 본다. 그러나 이는 이 방면에 일가견이 있는 사람이나 볼 일이지 보통은 입속에서 웅얼거리기는 해도 선뜻 입 밖으로 내뱉지 못한다. 가장 일반적인 방법은 혈액형으로 판단하는 경우다. O형은 활동적이고 성깔 있다 하고 나는 'AB형'인데 돈키호테를 연상하고 간헐적 천재라고 얘기하는 것으로 성격을 판단한다. 그런데 요즘은 MBTI로 검사를 한다고 한다. 50여 개(?) 이상의 질문이 주어지고 멈칫멈칫 경계선을 드나드는 답을 체크하니 뱉어놓은 성격유형이 '선의의 옹호자'라 칭하는 INFJ다.

당신의 성격 유형은 :

선의의 옹호자

INFJ-A

나의 MBTI

검색 기능을 활용하여 알아보니 전 세계 인구의 약 1.5%를 차지하는 좀 희귀한 성격이라 한다. 떨떠름하다. 나의 성격과 같은 사람은 누구인가 하고 찾아보니 대표적인 사람이 독일의 히틀러여서 실망하였지만, 우리나라에서는 故노무현 대통령도 이 성격 유형이라 하여 괜히 안심은 된다. 근데 이 두 분의 성격유형은 어떻게 파악한 거지?

어찌 되었든 내가 생각하는 나의 성격과 맞춰보니 거의 일치하는 것 같기도 하고 언젠가 직장 동료가 나를 보고 INFJ 성격 같다고 확신에 찬 말을 한 걸 보면 얼추 맞기는 하나 보다. 무엇보다 이것도 못 미더워 한참이 지난 후에 한 번 더 해도 이 성격 유형이다. 내성적이나 현실에서 벗어나 이상을 꿈꾸고 새로운 것을 찾고자 하고 情에 울컥하고 여행이나 공부는 계획에 맞춰 나가는 타입이고 보면 딱 이 성격이다. '빼박 인프제'다. 그나저나 나는 정의의 편에선 '선의의 옹호자'가 언젠가는 되려나?

▸ 3월

올겨울은 더욱 추웠다. 차갑고 시린 바람과 눈발에 몸뚱이가 앞으로 수그려지고 마음은 오그라들었다. 저절로 따뜻한 햇살이 자주 그리웠다. 기다리던 3월이 시작되었다. 첫날 잠시 온기가 있더니 오후가 되니 심술을 부린다. 세찬 바람에 나무가 이리저리 흔들리고 지나는 행인의 몸에 두꺼운 외투와 뱀이 똬리를 튼 것 같은 목도리가 영 거슬리는 하루였다. 더욱 햇살이 그리웠다.

그래도 봄은 오는가 봅니다. 얼마 전 강진 청자 축제를 시작으로 봄을 맞이하는 지역별 행사가 줄줄이 예약되어 있습니다. 이 지역에서는 광양 매화축제, 구례 산수화 축제 등이 열리고 곧 도로마다 가로수에서 개나리꽃이며 벚꽃이 흐드러질 것입니다. 나의 마음도 열리고 우리의 마음이 마치 하나인 것처럼 세상은 따뜻해질 것입니다.

'3'이란 숫자는 편안함을 가져다 주는 것 같습니다. 맨 앞의 1이나 2는 앞서기는 하나 잘났다고 타인으로부터 질투를 받아 왠지

정이나 망치에 맞을 것 같은 불안함이 있고, 8이나 9는 맨 뒤라 중간에 잘리어 내쳐질 것 같은 불길함이 있는데 반해 3은 그러한 우려에서 벗어나게 해줍니다. 잘 나지도 못 나지도 않은 평범한 우리이기 때문에 누구나 좋아하는 숫자입니다. 삼(시)세판이라 하면 단판일 때보다 조금은 편하고 여유를 느끼게 됩니다. 씨름도 삼세판이요 가위바위보도 삼세판이라 한 것을 보면, 승패를 떠나서 그래도 한판은 남에게 내주어도 된다는 사람의 선(善)을 짐작게 합니다.

개인적으로도 '3'이란 숫자는 나와 인연이 있습니다. 중·고등학교 때는 학급 번호를 키 순서대로 했던 것 같은데 보통 한 반이 65~67명 정도였는데 저는 중1 때부터 고2 때까지 항상 33번이었습니다. 그러니까 항상 중간 정도의 키를 가지고 있었던 것 같습니다. 그래도 요행히 고3 때는 정확하지는 않지만 40번 대 후반이었고 3년 뒤 군에 입대해 제식훈련 때는 키 큰 순서대로 앞에 서는데 그래도 3번째 정도에 섰던 걸 보니 고3 이후에 키가 커졌지 않나 싶습니다. 그리고 생일도 3월에 있고 가끔씩 좋아하는 숫자를 고르라고 하면 '3'을 선택하는 경우가 많습니다. 그래서 제가 '3'에서 느끼는 감정은 정(情)이고 따뜻함입니다. 이렇듯 3월에서 따뜻함을 느끼지만 마냥 그렇지만은 아님이 세상일인가 봅니다.

터키를 '형제의 나라'라고 합니다. 한국전쟁 당시 참전국이어서 그랬던 것 같습니다. 이러한 영향인지 2002년 우리나라에서 열렸던 월드컵 3, 4위전 상대가 터키였는데 우리 응원단이 터키를 함께 응원하는 이색적이고 훈훈한 분위기가 연출된 기억도 있습니다. 터키란 국가명은 작년에 튀르키예로 바뀌었습니다. 그러나 정작 이 사실을 알게 된 것은 지진 때문이었습니다.

지난 2월 초 튀르키예는 규모 7.7의 강진으로 많은 사상자와 피해를 입었습니다. 그 피해는 현재도 진행 중이고 추측으로만 얘기할 뿐 집계가 되지 않습니다. 여진도 일어나고 지진은 아직도 진행 중입니다. 모든 걸 첨단기계로 척척 해결할 것만 같던 4차 산업혁명 시대에도 자연재해를 예측하는 데에는 아직도 역부족인 것 같습니다. 인간의 오만에 대한 경고입니다.

1815년 인도네시아에서 화산폭발이 있었습니다. 히로시마 원자폭탄 17만 개의 위력을 가졌다고 합니다. 그 위험성을 말로 표현하기 힘들 것 같습니다. 튀르키예 피해를 돕기 위하여 세계 각국의 나라와 단체에서 모금 운동이 진행되고 있고, 우리나라에서는 이와 함께 구조대를 보내어 돕고 있습니다. 우리 구청에서도 성의껏 성금을 내는 등 힘을 보태고 있습니다. 그런데 지구의 한쪽 우크라이나에서는 전쟁이 1년을 넘어가고 있어 그 안타까움이 더욱 크게 자리합니다. 모두 사람의 눈으로 세상을 바라보는 인도주의적인 시각이 필요합니다. 그러나 튀르키예와 함께 지진 피해를 입은 시리아에서는 정치적 이유로 이스라엘 등의 지원을 거부하고 있어 피해를 입은 국민들의 고통은 더욱 깊어지고 있고, 러시아와 우크라이나 전쟁도 각 나라의 실리를 위하여 지원 대상이나 물품에 적극적이지 못합니다. 전쟁과 별개로 피해를 입은 다수의 국민에 대하여는 따뜻한 온기가 더욱 그립습니다.

나만, 내 나라만을 위하는 국수적이고 보수적 시각에 탄식이 쏟아집니다. 서울대 정진홍 교수는 '다른 사람의 뜰에서 내 뜰을 보아야 안 보이던 것이 보인다'라고 했습니다. 원래 창의성을 강조하기 위한 말이라 비교 표현은 좀 그렇지만 이 시대상을 설명하는 데에 큰 어려움은 없는 것 같습니다.

▸ 직장생활

모든 인간은 태어나서 필연적으로 집단생활을 하게 됩니다. 가족, 어린이집, 유치원, 초등학교에서 대학까지 그리고 동호회, 직장 생활까지 함께합니다. 어떤 사람은 대안학교 또는 나 혼자 1인 회사를 경영한다 하여도 타인과의 관계 없이는 살아갈 수가 없습니다. 맛있는 것을 먹고 싶으면 요리사가 조리한 음식을 먹어야 하고, 아프고 병들고 하면 병원을 찾아야 하고, 죽게 되면 장의사의 손을 빌리게 되어 나 혼자라는 삶은 인간에게서는 찾아볼 수가 없습니다. 우리가 함께하는 직장생활은 더욱 그렇습니다.

[열아홉 번째 러브레터]에서는 'MZ 세대'의 생각을 반영한 글을 썼습니다. 이번에는 'X세대'인 나와 팀장의 생각을 담은 글을 간

단히 쓸까 합니다. 얼마 전 G팀장이 파쇄기 사용 후 뒤처리를 나무라는 말을 했습니다. 잠시 분위기가 싸~했지만 충분히 받아들입니다. 우리가(X세대) 지나온 생활을 더듬어 보면 당연한 일입니다. 예전에 동네 어르신이나 부모님들이 늘 하던 말이 있습니다.

“우리 아들, 딸은 인사 하나는 잘해. 어른들을 보면 달려가서 인사한다니까. 공부는 좀 그래도 사람은 됐어.” 그때에는 철수, 영희를 가리지 않고 누구나가 인사를 잘했습니다. 그래서 동네에서 어른을 마주치고 인사를 하지 않고 지나가면 싸가지가 없다 하고 집안 어른들까지 싸잡아 욕을 얻어 먹는 것은 당연지사였습니다.

이런 것처럼 인사 잘하고 어른 공경하고 배려하고 무슨 일이든 함께하는 예절을 중시 여겼고 그것이 생활의 바탕이 되었습니다. 세월이 변했다고 해도 이러한 것은 바뀌는 것이 아닙니다. 지금도 그렇습니다. 이러한 교육을 받은 나와 비슷한 연령의 세대는 마주치는데 인사 없이 지나가거나 무슨 일을 할 때 함께하지 않고 핑계 대고 빠지고, 시간 약속 잘 지키지 않고, 자기 방을 스스로 청소하지 아니하고 하는 소위 예절 이라는 것에 반하는 것을 심하게 싫어하는 분들이 적지 않습니다. 단지 이 시대의 주류인 젊은이와 같이 있으니 겉으로 표현하지 않을 뿐입니다. 그래서 모르긴 해도 내 나이대의 과장, 팀장들은 이렇게 하지 않는 직원을 탐탁지 않게 생각하는 사람이 많습니다.

같이 이야기 나눠보면 업무의 능력, 성과에 앞서서 반드시 앞에 있어야 된다고 하는 부분이 이 부분입니다. 집에 들고 나갈 때 부모님에게 말도 없이 문만 열고 닫고 출입하면 내 자식이어도 좀 그렇다고 생각하는 것과 같은 맥락입니다. 직장생활도 마찬가지라 한번 생각해 볼 일입니다. 무엇보다도 좁은 공간에서 함께 지내니 서로 이해하는 아량과 배려가 먼저임은 말할 필요가 없겠지요?

부가적으로 이어갑니다. 내 자랑은 아니니 알아서 새겨 주세요. 화장실은 우리 직원과 민원인이 함께 이용합니다. 이용하다 보면 의외로 볼일을 본 후 화장지를 휴지통에 골인을 못 시키고 바닥에 떨어져 있는 경우가 적지 않습니다. 사실 저는 화장실을 이용할 때 이런 경우 사람이 있으면 바닥에 떨어진 화장지를 집어서 치우는 것이 좀 그래서 볼일만 보고 나오지만, 사람이 없는 경우에는 볼일을 보고 바닥에 떨어진 화장지를 휴지통에 집어넣고 손을 씻고 나옵니다. 그래야 내가 속이 편합니다. 이러한 것은 앞에서 말한 어릴 적 예절 교육의 영향인 것 같습니다. 직원분한테 이렇게 하라는 게 아니라 원래 신은 사람이 선(善)을 행하도록 만들었고, 이렇게 만들어진 사람은 선(善)을 행하여만 사람답게 살아갈 수 있기 때문입니다.

눈은 우리의 신체 중 가장 게으르고 우둔합니다. 그래서 높은 산을 보고 미리 못 올라간다 포기하고, 깊고 넓은 바다를 보고 그곳을 건너갈 생각을 접고 많은 서류 뭉치를 보고 못 한다 하고, 시대의 아류를 보고 사람다움을 포기하게 됩니다. 그리고 화장실의 바닥에 떨어진 화장지를 보고 더럽다고만 생각합니다. 그러나 상대방을 배려하고 함께 하는 것이 즐거운 직장생활이고 내 삶의 즐거움입니다.

▸ 자본주의

현대사회에서 주류를 차지하는 정치체제는 '민주주의'이고 경제체제는 '자본주의'라 할 수 있습니다. 우리가 직장생활을 하는 가장 중요한 이유는 경제활동을 통하여 나와 가정을 배고픔으로부터 지키고 소비를 통한 문화생활을 누리고 사회와 국가를 안전하게 하는 세금을 납부하는 것이라고 할 수 있습니다. 자본주의는 흔히 공동생산·공동분배의 사회주의와 비교되어 사회주의는 공산국가에서 자본주의는 민주국가에서 적용이 된다고 하는데 꼭 그렇지만은 않습니다. 여기에는 다양하고 복잡한 사회 여건과 국가 운영이 연결되어 있어 '반드시'라고 하기에는 무리가 있습니다.

어쨌든 자본주의는 내가 노력해서 얻은 만큼 가져가는 것이 일반적입니다. 거래에 있어서 정당성이 있어야 하고 사유재산을 인정하지만 무엇보다 사회적 분배가 지켜져야 합니다. 즉, 우리가 행정에서 말하는 이웃과의 나눔이 있어야 합니다. 돈은 모아놓고 쌓아만 놓으면 그것을 차지하려는 사람들에 의하여 구린내가 펄펄 풍기는 똥이 되지만, 그 똥이 작물을 키워내는 밭에 뿌려지면 거름의 역할을 하게 됩니다. 나눔은 작물을 키워내는 사회를 키워내는 거름인 것입니다. 그래서 민주주의를 내세우는 국가에서 자본주의가 필요한 법입니다. 나눔은 필수입니다. '고향사랑기부제' 동참해 볼랍니다.

▸ 문득 드는 생각

우리는 흔히 공무원을 공적인 일을 하는 사람이라고 합니다. 저는 맞는 것 같지만 이 시대에는 꼭 맞지 않다고 생각합니다. 단순히 이 말 자체에는 문제가 없지만 꼭 공무원만이 공적인 일을 수행한다고는 할 수 없기 때문입니다. 예전에는 사회가 단순하여 도로 건설 등 큰 토목공사, 교육, 전기, 수도, 물 등 공공재 관리를 국가에서 책임지고 하던 때에는 이를 공적인 업무라 할 수 있지만, 지금처럼 사회가 복잡하고 유기적으로 연결된 사회에서는 공적인 일에 대한 의미를 다시 정의할 필요가 있습니다. 공무원이 하는 일이라 공적인 일이 아니라 하는 일이 사회의 각 구성원에게 영향을 미치면 공적인 일이라 할 수 있을 것입니다. 구의 일을 위탁받아 운영하고 있는 각 시설에서 하는 일도 공적인 일이고, 비록 사기업에서 시행하는 대규모의 도로, 공항, 역 건설 사업도 공적인 일로 구분해야 합니다. 사업 주체가 아니라 시민에게 국민에게 영향을 주면 공적인 일로 구분해야 한다는 게 제 생각입니다.

엊그저께 퇴근하는데 공공기관 버스에 '공무수행'이라는 말이 쓰여있어 문득 이제는 공무란 말에 대한 의미도 바꿔볼 필요가 있는데 하는 생각이 퍼뜩 들어 한 자 적어 봤습니다. 여러분 생각은 어떠신가요?

▸ 만약에

상대방의 입장을 생각해 보게 되는 단어가 있습니다. 그 단어로 나를 반성하게 됩니다. 역지사지(易地思之)입니다. 우리가 직장생활에서 상대방을 조금이나마 이해하는 데 필요한 것이 이 단어일 겁니다. 만약에 내가 상대방이라면 그렇게 했을까? 나라면 어떻게 했을까? 하고 곱씹어 보면 직장에서 즐거움을 이룰 수 있지 않나 싶습니다.

따뜻함이 나를 기분 좋게 하는 3월입니다. 어쩌면 일을 본격적으로 시작하게 되는 시작점입니다. 기분 좋은 설렘으로 3월을, 올해를 건강하게 지낼 수 있기를 바랍니다.

[스물한 번째 러브레터]

눈물

(2023.5.3.)

눈물

▸ 4월

잔인한 달 4(死)월이 지났다. 3일은 제주4·3사건 추모일이었다. 1948년부터 6년간 제주도에서 일어난 민중항쟁의 과정에서 죄 없는 수많은 민간인이 국가권력에 의해 희생된 사건이다.

이 사건을 두고 태영호 의원은 북한 김일성의 지시에 의해 촉발됐다고 하여 제주시민과 국민들에게 실망감을 주었으며, 여기에 현 대통령이 헌법 전문에 넣겠다고 약속한 5·18 정신을 헌법에 넣는 것을 반대하여 지역민들에게 분노를 안겨주었던 김재원 의원은 4·3사건이 국경일보다 격이 낮은 추모일이라고 하여 분노를 더했습니다. 그들이 가진 역사적 인식이 아쉽습니다.

16일은 9년 전 안산 단원고 수학여행 학생 등을 태운 세월호가 진도 앞바다에서 침몰하여 300여 명이 넘은 학생, 선생님과 일반인들의 희생자를 남긴 날입니다. 아직도 명확한 사고 원인을 찾지 못하여 유족들의 아픔이 치유되지 않고 있고, 이 일을 겪은 우리는 평생 아픔을 가지고 살아야 하는 이 시대의 사건이 되었습니다.

19일은 4·19혁명 기념일입니다. 1960년 부정선거가 극에 달하자 전국적으로 이를 규탄하고 독재정권 타도를 외쳐 이후 이승만의 하야를 가져오게 한 우리나라 민주주의 역사에서 매우 중요한 위치를 차지하고 있어 3·1운동과 함께 헌법 전문에 실려있는 우리나라의 민족정신과 맞닿아 있는 날입니다. 이 역시 과정에서 수많은 희생자와 아픔을 불러온 사건입니다.

이렇게 억울하고 참담한 이들의 아픔을 매만져 주고자 4월의 첫날을 만우절로 두어 잠시 웃음 짓게 하였을까요? 계절의 여왕이라고 하는 5월의 어원을 지금의 내 지식으로는 알 수 없으나 아마도 연이은 따뜻한 날씨로 빨갛거나 노랗거나 하는 등의 여러 가지의 꽃이 핀 것과 연관 지을 수 있을 것 같습니다. 사람들이 활기차고 슬금슬금 밖을 기웃거리는 것이 희망을 주는 달일 거라 믿습니다. 그러나 자꾸만 4월에는 겨울의 추위를 이겨내고 굳세고 아름답게 피었던 붉게 물든 동백이 머리채 뚝 떨어져 발길에 치이는 기억을 쉬 잊지는 못할 것 같습니다.

▸ 5월

슬프거나 기쁘거나의 감정을 가장 적극적으로 표현하는 건 눈물이다. 날렵한 몸짓과 현란한 말 두둑한 돈으로도 상대방을 설득하기 힘들더라도 눈물 한 방울이면 나의 주장을 관철시키는 데 무난한 경우가 있습니다. 그래서 어떨 때 눈물은 무기로도 사용됩니다. 그러나 악어 눈물도 있으니 주의해야 합니다. 잘못 받아들이면 인생 쪽 나는 경우도 있기 때문입니다.

눈물은 그 종류가 여러 가지입니다. 과거의 일을 돌이켜 보니 그냥 팍 쏟아지는 서러운 눈물, 갑자기 울컥거리게 되는 눈물, 왠지 그냥 쏟아지는 눈물, 이해와 공감에서 나오는 눈물, 매운 음식 먹을 때 나는 눈물, 이슬 같은 눈물, 요즘 내가 많이 쓰는 인공 눈물, 쭈르륵 또르륵 흐르는 눈물, 억지로 찔끔거리는 눈물, 훌쩍거리는 눈물, 얼굴에 흐르거나 번지는 눈물, 감동의 눈물, 기쁨의 눈물, 아픔의 눈물, 고통의 눈물, 슬픔의 눈물, 환희의 눈물, 폭풍 같은 눈물, 노래 가사인 목포의 눈물, 양파 깔 때 나는 눈물이 있고, 강아지 눈물, 황소 눈물, 용의 눈물, 모기 눈물, 악어의 눈물 등 사물에 빗댄 눈물도 있는 것으로 보아 눈물만큼 감정의 폭이나 높이를 오르락 내리락 거리게 하는 것은 드뭅니다. 감정은 살아 있음을 표현하는 것이어서 죽은 자에게서는 눈물을 찾아볼 수 없습니다. 그래서 눈물은 산 자의 특권입니다.

5월이 되었습니다. 가정의 달입니다. 고맙고 고마운 마음을 자연스레 갖게 되는 달입니다. 잘 자라준 아이들에 대한 고마움을 느끼는 5일 어린이날, 괜히 그 단어만 떠올려도 미안함을 갖게 되는 8일은 어버이날, 나보다 먼저 간 길을 안내해 준 15일은 스승의 날, 나만을 믿고 지탱해 준 아내에 대한 고마움이 있는 21일은 부부의 날입니다. 이렇듯 따뜻함이 느껴지는 달이지만 필연적으로 광주에 사는 자만이 가지는 18일은 마음의 눈물을 짓게 하는 날입니다.

또한 5월은 쉬는 날이 많아 직장인들에게는 단비 같은 달입니다. 1일은 근로자의 날로 구에서는 포상 휴가를 도입하여 쉴 수 있고, 5일 어린이날부터 시작되는 연휴 3일이 있고, 18일은 지방 공휴일로 하루 쉴 수 있고, 27일 부처님오신날은 대체 휴일로 3일을 쉬게 되어 꼬박꼬박 월급을 받는 입장에서는 약간의 미안함이 있지만 남은 날은 더 열심히 일해야지 하는 다짐도 하게 됩니다.

나는 5월이 되면 행복한 가정을 먼저 생각하지만, 이것의 바탕에는 다른 무엇이 있음을 굳이 생각합니다. 잊지 않고자 함입니다. 바로 '민주주의'입니다. 이것을 얻기 위하여 많은 앞선 자들의 노력과 희생이 있었었습니다. 계급사회를 지우고 모두가 평등하고 서로의 다름을 인정하는 '민주주의'는 현재 우리 사회의 가장 튼튼한 받침입니다.

우리나라의 정신을 담고 있는 헌법 제1조 1항 '대한민국은 민주공화국'이라는 말에서 민주주의와 국민이 무엇보다 우선함을 알고 있습니다. 그러나 '5·18민주화운동'은 광주 정신과 헌법정신을 가장 잘 표현하고 있어 외국에서조차 그 정신을 이어받고자 함에도 정작 광주에 거주하고 생활하는 우리는 어떻게 생각하고 있는지 드는 약간의 의구심은 나만의 기우일까 합니다.

5·18민주화운동의 상징성을 지닌 5·18민주광장 분수대

5· 18민주묘지

이날은 지방 공휴일로 바쁜 일과 중에서도 하루를 쉬게 함은 그것을 알고 기억하여 다음 세대에 온전히 전해야 하는 책임감을 부여하기 때문입니다. 잠시의 시간을 내어 그때를 돌아보고 독재와 억압에도 굴하지 않았던 시대 정의에 대하여 생각하고 그 치열하고 긴박했던 현장의 숨소리를 들어보고 함께 이야기해 보는 시간을 내어 보는 것도 반드시 필요하다는 생각입니다. 우리 직원분들은 그러하리라 믿습니다. 이러한 과정을 거쳐야만 광주 정신을 타인에게 충분히 전달할 수 있기 때문입니다.

▸ 애도

4월에서 5월로 이어지는 아픔을 씻어주고 눈물을 거둬들이게 해주는 것이 필요합니다. 치욕스러워 감추고 싶었던 우리의 과거를 과감히 끌어내어 드러내놓고 위로해 주는 것이 필요합니다. 사람으로 치면 죽은 자의 시신 앞에서 그의 죄를 용서하여 좋은 길로 갈 수 있도록 기도하고 최대한의 예의를 갖춰 잘 장례를 치러주는 겁니다. 이러하면 죽은 자도 남은 자도 거칠고 아픈 과거를 접어두고 마음의 위로를 얻게 됩니다. 이러한 위로 과정을 저는 '애도'라고 표현합니다. '애도'는 과장된 몸짓을 요구하지 않습니다. 멋진 스피치를 요구하지도 않습니다. 화려한 겉치레를 배제합니다. 오직 필요한 것은 마음입니다. 진실이 꼭 박힌 마음입니다.

이제는 기억에 희미해진 미국 한복판에서 일어난 2001년 9.11 테러 사건을 기억합니다. 이 사건으로 희생된 자식을 앞에 두고 통곡하는 어느 부모에게 많은 사람이 위로를 전했습니다. 마음이 담긴 좋은 말과 다양한 위로가 있었습니다. 물론 그들의 위로가 불필요하다거나 도움이 되지 않았다는 것은 아니지만 그 부모에게 가장 큰 위로를 주었던 것은 당시 미국 프로야구 최고의 스타였던 뉴욕 양키스 소속 버니 윌리엄스가 아무 말 없이 그 부모를 꼭 안아주었을 때였다고 합니다.

그의 행동에는 진심으로 그들을 위로하는 마음이 있었기 때문이 아닐까요? '애도'에는 서투름이 있습니다. 미숙한 행동이 있습니다. 당연히 그럴 수밖에 없을 것 같습니다. '애도'를 하는 경우는 내가 살아가면서 그렇게 많지 않기 때문에 그렇습니다. 그러나 그 속에서도 빠지지 않아야 할 것은 진심입니다. 4·19, 5·18 등으로 아무런 죄없이 독재 권력에 의해서 희생된 우리의 선배이자 동료에게 진심을 담은 위로의 말을 전하고 하늘에서의 편안한 쉼을 바랍니다.

▸ 짧은 사무실 이야기

엊그제 보건소 건물에서 벗어나 몇 개월 동안 지낼 곳으로 이사를 했습니다. 그동안 준비해오시고 이사를 위해 수고해 주신 모든 직원분께 감사 말씀드립니다. 이번에 이사를 하게 된 곳은 복지지원과와 한 울타리 안에서 생활하게 됩니다. 좋으신 분들과 새로운 관계를 맺어 나가는 즐거움이 있지만 약간의 우려스러운 부분도 있습니다. 이러한 우려는 배려와 따뜻한 동료 의식으로 덮을 수 있습니다. 한 사무실 내에서 예의도 갖추고 서로 먼저 아는 척하고 어려운 일은 먼저 하려 하고 좋은 것은 양보하는 인간관계도 필요합니다. 4개월 동안의 짧은 동거지만 지내면서의 인상과 기억은 직장 생활 내내 따라다닌다는 것은 경험으로 알고 있습니다. 직원분들은 참고해서 즐겁게 생활했으면 좋겠습니다.

식품위생과에서 생활한 지 10개월이 되었습니다. 지내다 보니 20명 모두 모두가 다른 생각과 성격을 가짐을 다시 한번 확인합니다. 아무래도 직장이라는 공동체에서 지내다 보니 자신이 가진 주관적 행동과 생각이 드러나는 것을 감추고 있지만, 업무 스타일이나 대화에서 얻을 수 있는 특징으로 유추할 수는 있습니다. 개인적으로 직원 한 분 한 분에게 관심을 표명하거나 적극적으로 다가가는 행동이 부자연스럽지만, 좋은 공동체를 위하여 나의 노력을 기울이겠습니다.

못난 저에게 과장이라는 직책을 이해하여 나의 의견을 수용하여 주려고 애써 주시고 최대한의 존중을 주심에 이 글을 빌어서 감사드립니다. 저도 잘 알고 있습니다. 제가 못나고 누구에게 도움이 되는 것이 없다는 것을 알면서도 어떤 때는 살짝 바라고 기대는 경우도 있습니다. 이해하여 주시길 감히 바랍니다. 제가 과장으로서 가진 책임을 권한이라고 표현하기에는 좀 그렇지만, 달리 확 다가가는 표현이 없어서 이렇게 말합니다. 권한에는 당연히 책임이 따른다는 것도 알고 있고 이 권한이 무거우면 당연히 그것을 놓아야 한다는 것도 알고 있습니다. 그러나 그것이 쉽지 않네요. 무덤덤하게 버텨내는 자신한테 화가 나기도 하지만 이러한 무덤덤함이 오히려 조금 더 버텨내는 힘이 되는 아이러니 함도 있습니다. 마치 화려한 나무는 수명이 오래가지 못하는 것처럼 말이죠. 그래서 어쩌면 식품위생과라는 브랜드를 지켜내기 위하여 채찍질을 하고 싶은데 그러한 욕심을 뒤로 물리치는 편안함이 직원분들에게는 더 좋을는지도 모르겠습니다.

▸ 나의 눈물

며칠 전 토요일, 엄마를 데리고 한의원에 갔다. 차로 약 15분 거리다. 엄마는 이 한의원을 매주 2번씩 간다고 한다. 용하다고 한다. 근데 차로 15분 거리면 버스로는 30분 이상이 걸린다. 절뚝거리는 걸음걸이로 버스를 타고 내리고 할 것을 생각하니 약간 마음이 짠했다. 자식이라는 놈이 제대로 챙기지도 못한다는 자괴감이 들었다. 치료를 다 하고 나니 엄마의 이름을 불렀다. 다가갔다. 간호사가 보호자 되냐고 물었다. 갑자기 이런 생각이 들었다. 예전에는 내 이름을 부르면 엄마가 갔는데 내가 막상 보호자로 불리고 보니 정신이 아득하고 눈물이 마음으로 흐른다. 엄마라는 이름은 그런가 보다. 짠하고 고맙다. 열심히 자식들을 위하여 90평생 넘게 일만 해오신 장모님이 8일 어버이날에 '장한 어머니상'을 받는단다. 여덟 명의 귀하디 귀한 딸들을 감히 입 밖에 자랑스럽게 내뱉지 못하고 그저 허리를 굽혀 일만 하며 살아오신 그 삶 역시 짠하고 고맙다. 그리고 그 노고에 감사함을 드린다. 앞으로의 남은 삶이 즐겁고 행복하길 바란다. 그러한 삶을 위하여 작은 힘이, 도움이 됐으면 한다. 왠지 이 또한 눈물이 난다.

장한 어머니상을 수여 받으신 장모님

물질적 풍요를 접하고 살고 있는 이 시대의 이면에는 안타까운 희생이 잠재되어 있다. 땅속에 묻혀있는 석유는 수많은 동물의 사체이고 우리의 삶을 따뜻한 불로 지켜왔던 석탄은 수많은 나무의 죽음의 결과다. 모든 풍요의 뒤에는 희생이 있고, 눈물은 공감에서 비롯된다. 나의 지나간 청춘이 아쉽기도 하지만 열심히 살아줘서 고마워 눈물이 나기도 하고 지금의 민주주의도 희생에 감사의 눈물이 난다. 진심으로 그들을 위로하는 공감이 직원분 모두에게 있기를 바랍니다

[스물두 번째 러브레터]

잡다한 생각들

(2023.6.28)

잡다한 생각들

▸ 첫 번째 생각 : 1년 후 나의 모습

얼마 전 상반기 공로 연수를 들어가게 되는 분과 점심을 같이했다. 또 우리 과 업무와 관련된 단체의 직원분이 정년 퇴직을 하게 돼서 역시 점심을 같이했다. 그동안의 힘들었던 시간에 대한 위로와 함께 꽃다발로 축하를 건네는 의례적인 형식도 있었고, 소회를 들어보는 시간도 있었다. 소회를 들을 때는 나도 저분들처럼 무언가 말할 거리가 있어야 될 텐데 하는 약간의 불안감이 오기도 하였고, 이제는 이분들과의 이별을 받아들여야 한다는 생각에 가슴이 잔잔해져 오는 안타까운 마음도 들었지만, 무엇보다 다음의 식사 자리엔 내가 원치 않는 필연의 주인공이 되어야 한다 생각하니 머리가 지끈거린다.

선배님을 배웅하는 후배님들을 보니 갑자기 없던 자비심이 발휘되어 직원들에게 잘 보이고 싶은 마음이 불끈이다. 어쩌면 뒤통수에 대고 하는 욕을 들어먹지 않아야 될 텐데 하는 우려가 있다. 여기에 대하여는 걱정과 함께 약간의 자만감이 있다. '내가 직원분들에게 어떻게 보이고 있을까' 하는 생각을 하니 움찔하기도 하지만 내가 정치인처럼 좌, 우를 나눠 사는 것이 아니어서 극단의 추종자도 없지만, 그렇다고 심한 반대자도 없어서 이리저리 고개를 내밀어도 내치어지지 않고 비추어지는 성격도 특별히 모나지 않고 직원들 면면을 보면 내가 어느 정도 하면 알아서 이해해 주는 편이라 행동도 비교적 자유로워서인지 낙제점은 받지 않을듯싶다. 이러한 생각이지만 어쩐지 업무를 강하게 밀어붙이는 것은 주춤해진다.

좋은 이미지는 어떻게 만들어 나가야 되는지 의문이 남고 나를 알고 지냈다는 것이 부끄럽지 않도록 나를 더욱 추슬러야 한다는 책임감이 더한다. 평양냉면을 처음 맛보는 사람들은 그 슴슴한 맛에 실망한다고 한다. 그러나 집에 도착할 때쯤이면 자연스러운 그 맛이 못내 잊히지 않아 다시 찾게 된다고 한다. 그런 선배로 남고 싶다. 과한 욕심일까? 끝이 좋으면 모든 게 좋다고 한다. 과정을 소외시키는 다소 과장적인 면이 있기는 하지만 그만큼 마무리를 잘해야 한다는 뜻을 담고 있어 나쁜 의미는 아니라는 생각이다.

최선을 다하고 좋은 실적을 남긴 선배도 좋지만 잊히지 않았으면 한다. 기억되는 데에는 반드시 이유가 있을 것이고. 무릇 짐작하건대 그 지나온 과정이 누군가의 삶에 도움이 되는 부분이 있었을 것이기 때문이다. 앞으로 1년의 직장생활은 어떻게 해야 되는지도 고민이고 사회에서의 보다 나은 삶을 위해 어떤 준비를 해야 할까 하는 현직 공무원에 맞지 않는 사치스러운 생각에 일은 뒷전임에도 여유롭지 않다. 무엇보다 이제는 내가 나이순으로 제일 앞에 서 있다 보니 선두에서 나아가는 일을 해본 경험이 없고 맨 앞에서 나아가는 일이 맞지 않는 옷을 입은 것처럼 거추장스럽고 부끄럽고 게다가 능력보다 나이를 앞세우는 내가 수치스러움을 더하니 지나온 과거의 일에 양심의 가책도 느끼게 된다. 이런저런 잡다한 생각만이 우르르 소리를 내며 이리저리 머릿속을 굴러 다닌다.

▸ 두 번째 생각 : 6월은 호국보훈의 달

고개를 올려 벽에 걸린 디지털시계의 아라비아 숫자가 6시를 알리자 제일 먼저 사무실을 빠져나와 빠른 걸음으로 계단을 타고 타다닥 내려갔다. 작년 같았으면 덥다고 느끼기에는 아직 이른 6월의 둘째 날이었지만 낮부터 내리쬐었던 햇볕의 기분 나쁜 뜨끈함이 아직도 도로에 베여있어 축 늘어진 어깨에 짐을 얹고 있었고, 일과가 끝난 시간임에도 그 강한 기운은 수그러지지 않고 아직도 쨍쨍하다. 서쪽 하늘에서 내리쬐는 강한 빛을 피해 꽃집과 음식점 가게 차양 밑 그늘진 곳으로만 걸음을 떼었지만 그것을 완벽히 피할 순 없었고 오히려 그늘을 찾아 돌아가느라 햇볕을 더 받게 되었고 햇볕이 따끔하게 느껴지고 약간의 후텁지근함은 자연 걸음걸이의 속도를 늦추게 만들었다.

금요일 퇴근 시간 이어서인지 주차장에서 차를 빼는데도 시간이 지체되었고, 송정역 앞에서부터 길게 늘어선 차량에 확하고 짜증이 올라왔다. 극락 대교를 지나 왼쪽으로 꺾어 시청 뒷길로 접어드니 차량 속도에 힘이 붙었다. 앞 유리창에 보이는 차량이 뜸하니 눈도 밝아지고 기분도 한결 나아졌다. 몇 번의 신호 뒤에 시청 주차장에 접한 도로에 차량이 멈추었다.

이때 이런 틈을 타서 한 외국인이 편도 3차선인 통행로 사이로 들어왔다. 뭔 일인지 싶었다. 맨 앞에서부터 정차되어 있는 차량 사이에 들어서서 순서대로 양쪽에 정차 중인 차량 유리문을 두드리는 것이다. 마치 정체가 심한 도로에서 호두과자 등의 물건을 파는 상인의 모습이었다. 어쩌다 문을 열어주는 차량 운전자가 있었지만, 대부분은 문을 열어주지 않았다. 내 차 앞으로 점점 다가오자 창문을 열어야 할지 말아야 할지와 왜 그러지? 하는 의문이 들었다. 이런 선택이 필요 없도록 얼른 신호가 바꾸기만을 빌었다. 그러는 사이 내 바람대로 신호가 바뀌어 바로 출발하였다. 그런데 가만히 보니 그 외국인의 양손에 휴대용 태극기가 들려 있었다. 그 외국인은 태극기를 나누어 주고 있었던 것이다. 머리가 혼란스러웠다. 6월은 호국보훈의 달이다. 우리 구에서도 6월 첫날 직원 전체 회의 때 보훈 공로자에 대해 시상하고 태극기를 흔드는 퍼포먼스를 진행하였던 일이 떠올랐다.

대한민국 국민이 아닌 외국인이 어떤 의미를 담아 태극기를 나누어 주고 있었는지는 모르겠지만, 그러지 못하고 그러한 생각조차 하지 못한 나는 창피하였고 다행이나마 6월에 무엇을 하여야 하는

지에 대한 작은 방향은 잡을 수 있었다.

▸ 세 번째 생각 : 지식

퇴직 후를 생각하게 된다. 만나는 선배님들마다 미리 준비해야 한다는 말을 수없이 들었지만, 근무하는 날까지는 그런 거에 괘념치 않기로 했다. 어차피 퇴직 준비기간 1년이 있는데 쓸데없는 일에 힘쓰지 말고 주어진 일이나 하자는 생각이었다. 능력도 모자라는데 괜히 곁눈질하면 하찮은 일의 결과가 나올 것이고 무엇보다 미리 한다는 게 힘들고 귀찮은 것을 싫어하는 인간의 본성이 부추기고 있었기 때문이다.

그런데 어느 때부터인가 스스로에게 조바심이 났다. 능력도 없는데 미리 뭐라도 해봐야 되지 않을까? 준비해서 손해 볼 것 없지 않은가? 이순신 장군의 연전연승도 유비무환이 아니던가? 하는 다소 거창한 지식의 어구를 동원하여 기어이 핑곗거리를 만들었다. 그래서 하나의 결정을 했다. 지난 4월부터 매주 토, 일요일마다 모 대학에서 진행하는 산림 관련 자격 과정 수업을 듣는다. 직장생활 1년여를 남기고 내가 해보고 싶은 것은 무엇일까 하는 고민을 언제부터인가 했다. 선배에게 물어보거나 자연스레 들어보기도 하고 친구와의 안줏거리로 올려놓기도 하고 인터넷 검색을 통해서 알아보기도 하였다. 그러기를 여러 차례 요리조리 알아보다가 그래도 대학 평생교육원을 이용하는 것이 나을 것 같아 광주 소재 대학 평생교육원을 검색했다.

그러다가 명칭도 근사하고 무엇보다 마음이 아픈 사람들을 위한 일이니 명분도 괜찮을 것 같다는 내 자신의 얕은 속임수에 일부러 휘말려 적지 않은 수강료를 지불하고 등록했다. 처음에는 인원이 차지 않아 어렵게 한 결정이 헛물 들이킬 뻔했지만, 등록 기간을 한 달여 동안 연장한 덕에 겨우 인원을 채워 나의 결정에 안도감을 주었다.

강의는 이론과 실습으로 진행된다. 이론 강의는 보통 산림 관련 학과 교수님이 하시는데 충청도, 경상도, 강원도 등 전국에서 달려오신 교수님으로 그 열정이 매우 놀랍다. 하나라도 더 가르쳐 주려고 한다는 것이 이런 것이구나 하는 것을 느끼고 있지만 그 열정에 오히려 따라가기 힘들어 포기할 뻔했다. 강의를 통해서 산림을 이해하는 눈높이가 생겨 길을 지나가다가 이건 나무를 잘못 잘라 곧 죽게 되겠는데 하거나 이 나무들은 서로 간에 뿌리와 뿌리가 손을 잡고 있어 버틸 수 있었구나 하는 결과에 맞춘 서투른 지식이 동원되는 계기가 되었고, 실습은 광주 인근과 순천, 화순, 장성, 순창에 소재한 산이나 숲, 휴양림에서 진행되는데 이를 통하여 마음이 아픈 사람들을 위한 프로그램 운영 능력을 길러 나가고 있다.

교육생은 15명인데 나를 제외한 모두는 숲, 생태, 산림과 관련된 일을 한 경험이 있거나 하고 계신 분들이다. 그래서 나이상으로는

최상위권인데 앎으로는 완벽하게 그 반대다. 서로가 막 서먹함을 벗어났고 새로운 것을 받아들이는 그들의 열정이 뜨겁다. 개인적으로 새로운 지식을 습득하는 과정이지만 정작 그 배우는 것은 따로 있다. 알려진 것처럼 모든 것은 충분히 배움의 가치가 있다는 것이다.

산림은 때로는 경제와 환경 그리고 늘어나는 거주지에 반대의 손을 들기도 하지만 어쨌든 적당한 선에서 약간은 부자연스럽게 손을 잡고 있다. 그 잡는 손이 다소 헐겁더라도 상대방을 배려하고 이해하는 마음이 없으면 힘들고 어떤 때는 맞닿을 수 없는 평행선의 길을 함께 가야 할 때도 있는 것이고 그걸 배우고 있다. 내가 알고자 하는 전문지식도 좋지만 상대의 학문도 인정하여야 하는 법을 배워가고 있다.

산림교육 현장(화순 만연산)에서 교육생들과 함께

세상의 모든 것은 연결되어 있고 세상 이치의 끝은 그 연결의 끝과 같다고 할 수 있지만 그것을 이루기는 쉽지 않다. 다만 사람은 어떻게 얼마나 그걸 잘 연결하느냐에 따라 인격과 학문의 정도가 결정되어 진다는 생각을 더욱 깊게 하게 되었다. 배움은 가치가 있어 이루고자 하는 만큼의 됨됨이가 만들어진다. 무언가를 배우는 게 참 좋다. 다음에는 내가 좋아하는 슬리퍼 경제(마을 경제)를 공부해야겠다는 결심을 서게 했다.

▸ 네 번째 생각 : 라디오

전날 저녁 술을 마셨다. 그래도 과하지 않아서인지 멀쩡하다. 아침 운전이 가능하다. 아침 출근은 항상 패턴이 같다. 차의 시동음이 싱그럽다. 이제 나도 도시 놈이 된 것인가? 라디오가 켜지고 그 소리음과 함께 큰길로 나서는 모퉁이를 돈다. 이렇게 하루가 시작된다.

예전에는 차를 타면 운전만 하는 형국이었다. 그래서 라디오나 음악을 듣고 가는 것이 괜히 불편했다. 남들이 생각하면 심심하지 않고 좋을 텐데 딱히 이유는 없지만 운전을 방해받는 것 같다는 생각으로 그런 것 같다. 그런데 지금은 약간은 다르다. 여전히도 운전하면서 음악을 듣는 것은 어쩌다 한 번의 연례행사이지만, 그래도 라디오는 가끔 듣는 편이다. 자동차 운전 경험도 나이에 따라 꽤 됐지만 라디오를 들으면서 운전하는 습관을 들인지는 사실 얼마 되지 않았다. 그 습관은 수년 전 아들이 군대를 가게 되면서부터다. 아들이 군에 입대하자 당연히 따라오는 걱정이 생겼다. 요즘에는 군대가 좋아져 할만하다는 소식을 듣고 있다 하더라도 내가 군 복무 시절 힘든 훈련과 인권이 전혀 없는 부대 생활, 군기를 기른다는 이유로 365일 하루도 거르지 않고 의무적으로 맞아야 했던 것을 직접 경험한 나로서는 군에 입대한 아들이 혹시 그러지 않을까 걱정하는 것은 당연할지도 모른다. 그렇다고 어떻게 해줄 수 있는 것도 아니어서 아무 일 없기를 기도하고 소문처럼 할 만한 군대 이기만을 바랐다.

어느 날 출근길에 문득 라디오를 듣게 되고 채널을 맞추다 보니 '국방방송'이었다. 생소한 방송이라 처음엔 선뜻 채널을 선택하지 못했지만, 장병들의 즐겁고 안정된 생활 소식이 들려오고 사연과 함께 들려주는 신청곡을 듣는 출근길이 아들을 군에 보내 걱정스러운 마음에 작은 위안이 되었다. 그리고 무엇보다 평소에도 간간이 나도 모르게 흥얼거리는 옛 시절 군가가 왠지 정겹고 그 힘든 시절의 청춘을 떠올리게 돼 마음이 푸근했다. 이런 이유로 지금도 '국방방송'을 자주 듣게 된다. 지금은 출·퇴근하거나 여행할 때 가끔씩 라디오를 듣게 된다. 라디오는 다양한 정보를 제공하지만 다양한 사람들의 이야기가 있는 것이 백미다. 즐겁고 행복하기도 하지만 어떤 때는 아프고 눈물이 나는 경우도 있다. 그 아픔이 나와 내 가족의 아픔이 되기도 하고 사회의 아픔도 된다. 그럴 때면 모두가 함께 살아가고 있고, 살아 있다는 느낌을 갖는다.

내 나이대의 대중매체 양대 산맥은 TV와 라디오다. 물론 TV가 절대적 지위를 가지고 있지만 라디오를 듣는 즐거움은 TV로서 목마름이 해결되지 않는 그 무엇이 있다. 화려함, 액티비티한 행동, 마술적 언어가 TV를 지탱하고 있다면, 라디오를 지탱하는 힘은 상상력이다. TV는 모두에게 같은 것을 보여주고 같은 생각을 하게 하여 같은 행동을 하게끔 만들어 주는 강력한 통일성을 가지고 있다. 어떤 사람은 바보상자라 하지만 그래도 저녁 시간이면 모두를 TV 앞에 앉히게 하는 엄청난 마력을 가지고 있다.

반면에 라디오는 언어나 소리를 통해서 전달하는 데 개인마다 받아들이는 의미가 다르다. 그래서 같은 말이라 할지라도 하늘의 별처럼 수많은 생각의 날개가 퍼득이고 나만의 독특하고 개인적 기억을 가질 수 있어 좋다. 이런 이유로 라디오를 좋아하는 사람은 늙지 않는 청춘을 가지고 포기하지 않는 도전 정신을 가지고 있어 다리 없이 산을 오르고 말과 행동 없이 무대에 오른다. 라디오를 통하여 많은 소식을 접하고 있지만 6월 호국보훈의 달을 맞아 가장 좋았던 기억은 당시 직접 듣지 못하고 이후 방송을 통해 들었지만 '1945. 8. 15. 일본 히로히토 천왕의 항복선언'이 아니었을까 하는 생각을 해본다. 나라의 사랑이 느껴지는 6월이다.

▸ 다섯 번째 생각 : 사무실 이야기

며칠 전 인사 발령이 났습니다. 저는 식품위생과에서 마무리 하고 싶은 생각이 이곳 우산센터에 오기 전인 1년 전부터 있었습니다. 그때는 제가 식품위생과에서 마무리 하고 싶어 스스로 원했었는데 이번 인사로 다시 한번 이동하게 되었습니다. 대면 능력이 떨어지는 제가 새로운 부서에서 적응하려고 하니 이것도 약간의 부담이 됩니다. 그래도 그동안의 경험과 안면이 있으니 별문제 없이 지나가겠지만 말입니다.

제가 원하지 않았더라도 직장생활의 많은 부분을 '식품'이라는 분야에서 일하고 가정의 생활비를 받았던 터라 다소나마 멋지게 이곳에서 마무리하고 싶었습니다. 그러나 삶은 원하는 대로 진행하는 것이 아닌가 봅니다. 우리는 광산구청이라는 조직의 한 일원이기 때문에 거기에 맞추어 살아가야 하는 것은 당연하고 개인보다는 타인의 기대에 맞춰야 하는 때도 있고 때로는 조직의 목적에 스스로가 적극적으로 맞춰야 하기 때문이기도 합니다.

지나온 30년이 넘는 시간에 앞으로의 1년이 짧게 느껴지지만, 사실 긴 시간입니다. 마음속으로야 마무리를 잘해야 한다지만 몸은 그 방향과 엇나가는 형국이어서 그렇게 할 자신은 없습니다. 그래도 누가 되지 않게 맞추어 나가렵니다. 오랜만에 돌아온 식품위생과에서의 1년의 시간은 좋은 시간이었습니다. 이전에는 직원으로 팀장으로의 시간을 가졌었지만 '식품' 분야의 행정을 책임지는 직책을 가진 시간이 주어졌는데 과한 책임감에 "나는 이런 사람이야"라는 것을 보여주려고 하였습니다. 직책의 가장 중요한 책임인 시간의 흐름과 시대의 상황을 제대로 읽어내지 못하고 그동안의 나의 경험이 막연히 후배님들에게 도움이 될 거라는 생각에서 무리한 시도도 있었고, 조직의 단단함을 만들기 위하여 개인의 희생을 바라는 마음과 행동도 있었습니다. 그 과정에 대해 반성하고 한 번의 기회가 더 있었으면 잘할 수 있을 텐데 하는 어리석은 생각을 하게 됩니다.

그래도 모든 것에 잘못은 있다 하더라도 다행스럽게 자신 있게 말할 수 있는 것은 있습니다. 직원의 좋은 점만을 보려고 노력하였습니다. 비교하지 않았습니다. 다양성을 인정하였고 존중했습니다.

그럼에도 불완전한 인격을 가진 이유로 일순간 그가 가진 부족함을 들추어 보려 하였던 점에 대하여는 반성합니다. 앞으로는 그렇게 살겠습니다. 미워하지 않는 삶, 존중하는 삶을 살겠습니다. 앞으로의 1년도 그럴 거라고 자신합니다. 그렇게 살겠습니다. 가족 구성원을 미워하는 가족은 없습니다. 인사를 통해서 누구는 승진하고 원하는 자리로 갑니다. 그러나 많은 사람에게 그런 행운이 다 가진 않습니다. 승진하면 즐겁고 무엇보다 나를 인정해 주는 것 같아 기분이 엄청 좋습니다. 그러나 누구나의 경험에서 알 수 있듯이 그 즐거움이 오래 가지는 않습니다. 그래서 시간이 지나 생각해 보니 별것 아니더라는 말을 하게 되는 것입니다. 승진하기 위해 동료에게 어필하고, 낯짝도 좋지 않은데 생판 모르는 사람에게 이야기하는 경우도 있습니다. 이럴 때는 이 세상을 발로 딛고 사는 내가 아니고 공중에 붕 떠 있는 자신을 느끼게 되고 어떨 때는 심한 자기 우울증도 겪게 됩니다. 이렇듯 많은 사람은 미래를 기대하고 현재를 희생하면서 삽니다. 이러는 과정에서 현재의 즐거움을 잃어버립니다. 승진을 하게 되면 특별히 달라진 것이 없는데 돌아보니 현재를 희생했고 내 즐거움이 없어졌습니다. 어떻게 사는 것이 나를 위해 사는 것이고 사람답게 사는 것인지 아직 답을 얻지 못했습니다. 어떻게 살아야 할까요?

얼마 전 대통령이 해외 순방길을 떠났습니다. 그러면 항상 공직사회에서 공문이 발송됩니다. 순방 기간 중에는 공직기강을 바로잡고 그렇지 않으면 감찰을 통해 징계한다는 것입니다.

언제까지 이런 공문을 보아야 할까? 대통령이나 총리가 해외로 나가면 죽었던 공직기강이 되살아나 공중으로 올라가는가 아니면 땅으로 꺼지겠는가? 사실 지방자치단체에 근무하는 대부분의 공무원은 대통령이나 총리가 해외에 나갔는지 들어왔는지 잘 알지 못합니다. 그런데 굳이 그런 걸 알려주는 것엔 무슨 이유가 있는 것일까? 아니면 관습적으로 해왔던 것을 그대로 따라 하는 것일까? 관습적이라고 생각되는데 그러면 벌써 바꾸었어야 할 혁신의 대상은 아닐까 하는 생각을 해봤습니다.

영국에서 먼 거리를 여행하는데 가장 빨리 가는 방법에 대한 문제를 냈습니다. '사랑하는 사람과 함께 가는 것'이라는 답변이 1등을 차지했습니다. 아무리 먼 길이라도 사랑하는 사람과 함께하면 무척 짧게 느껴지는 것은 당연합니다. 직원들과 이런 여행은 힘들겠지만, 그래도 함께라는 생각을 가지면 피곤함은 덜 할 거라는 생각을 해 봤습니다. 이제 곧 '만 나이 통일법'이 시행되어 나이도 1~2살이 줄어드니 더 젊은 몸과 마음을 가지는 지혜도 가졌으면 좋겠습니다. 내가 가만히 있지만 시스템이나 제도가 바뀌어서 내가 젊어지는 행운을 가져오기도 합니다.

공기 중의 구성비는 질소 78.08%, 산소 20.8% 정도이고 요즘 문제가 되고 있는 탄소는 0.004%입니다. 탄소라는 말이 요즘 화두입니다. 탄소 제로화, 탄소중립이란 말이 이제는 귀에 익어 어디서나 들을 수 있습니다. 환경오염으로 탄소가 1%가 늘어나 전 세계적으로 기후 재앙으로 가뭄, 폭염, 홍수가 일어나고 일상생활에 큰 문제를 일으킨다고 합니다. 0.004%의 1%면 수치상으로는 무시해도 되는 비율이지만, 이렇게 조그마한 문제가 큰 영향으로 나타납니다.

바꾸어 말하면 공직자인 우리가 조금만 생각을 바꾸고 개선하고자 하는 노력이 아무리 적다 하더라도 보태지고 모이면 시민의 삶의 질을 바꿔놓을 수 있는 큰 결과를 가져올 수 있습니다. 좋은 삶을 꿈꾸는 공직자 되시길 바랍니다. 저도 그렇게 하겠습니다.

[스물세 번째 러브레터]

그래, 잘 지냈어

(2023.7.20)

그래, 잘 지냈어

일이 마무리 수순에 들어서게 되면 말하지 않아도 스스로에게 묻게 된다. 이 질문은 예로부터 숙고하는 삶이 가치가 있다는 것과 연계된다. 그리고 이러한 과정을 통해서 일의 완성도와 삶의 질을 높이기 때문이다. 그래서 나는 나에게 묻는다. 잘해 오고 있을까? 좋은 평가를 받게 될까? 하는 생각에 이르게 되자 지난 일이 양철 지붕 처마 밑에서 떨어지는 정겨운 빗방울의 소리를 내며 내 귀에 속삭인다.

▸ 시간

시간이란 참 이상하다. 같은 시간이라도 어떤 사람은 '찰나'라 하고 어떤 사람은 '징글징글하다' 한다. 지나온 시간은 빠르다. 1년이 서른 번을 반복하여 만든 시간이라 하더라도 꼭 하루 같다. 시간은 누구에게나 선택의 여지 없이 주어진다. 대통령에게도 백수에게도 그렇다. 그런 것 같다. 시간은 그 자체가 중요한 거지 그 시간 동안에 무엇을 했느냐는 중요성에서 한참이나 밀린다.

내가 근무했던 기간 동안 어떤 일을 하고 무슨 발자취를 남겼는지는 타인이 평가하는 것이라 내세울 것 하나 없습니다. 지내온 것을 말하지 않아도 돼 부끄러움을 줄여 주어 다행입니다. 잘했으면 말하지 않아도 알 것이고 굳이 말해도 모른다면 그것으로 족하면 됩니다. 더욱이 일을 하면서 노동의 대가를 어김없이 매월 꼬박꼬박 받아온 나로서는 더 이상 바랄 게 없습니다. 우리 주변에는 아무런 대가 없이 본성에 따르는 사람도 많기 때문입니다. 그들에게 부끄러울 따름입니다. 그래서 그 기간 동안 같이 지냈다는 단 한 가지의 이유만으로도 동료가 사랑스러운 것이고, 나를 힘들게 하고 때로는 즐거움을 함께해 준 공동체와 시민에게 고마운 것입니다.

삶을 살아감에 있어 사람마다 몇 번의 터닝 포인트가 있습니다. 그 한 번의 시점을 앞에 둔 상황에서 보면 지금까지 별다르진 않지만 여기까지 오게 된 게 가장 잘한 일이구나라고 생각합니다. 꾸역거리긴 하나 건강도 유지하고 있습니다. 좋은 생각으로 하루를 시작하고 반성으로 잠에 듭니다. 눈에 좋다는 루테인을 먹고 컴퓨터를 봅니다. 비타민C로 활력을 보충하고 전립선 약으로 밤에 깨는 횟수를 줄여나가고 임플란트로 먹고 마시고 탈모 샴푸도 쓰고 콜레스테롤 약도 먹고 이것저것 먹는 것이 음식 가짓수만큼이나 늘어나는 것으로 겨우 살아갑니다. 그런데 이것도 매일의 습관이 되니 할만합니다. 위태로운 이것도 행복합니다.

같이 지내온 동료 중에 몸이 아프거나 마음이 아파 남은 시간을 포기한 것을 생각하면 이보다 더 좋기를 바라는 것은 사치입니다. 함께 하고 있는 동료의 건강을 간절히 바라는 것은 그런 이유의 하나입니다. 앞으로의 남은 시간은 저절로 오게 되어 있으니 염려할 바는 더욱 아니어서 지나온 시간이 더욱 소중하게 느껴집니다. 시간은 빠르기도 하지만 무서움의 대상입니다. 사람들은 건강할 때 조금 힘든 일이 있으면 죽겠다고 하고, 아프고 병들었을 때는 더 오래 살기를 바랍니다. 시간을 좀 더 갖기 위하여 병원에서 수술도 받고 저처럼 약도 먹고 몸에 좋다는 건강식품도 챙깁니다.

이처럼 시간은 빼앗으려고 하는 공포의 대상이지만 형태가 없어 돈을 주고도 얻을 수 없습니다. 사람들은 시간이 가진 공포로부터 벗어나기 위하여 시간을 물건으로 만들어 버리는 마술을 부립니다. 하루를 24시간으로 나누고 1시간을 60분으로 다시 초로 나눕니다. 하루를 30번 더해 한 달을 만들고 이것을 12번을 더해 1년이라 합니다. 이렇게 되면 시간을 셀 수 있게 됩니다. 그러면서 시간을 가질 수 있다고 하는 어리석은 생각을 하게 되고 지나가 버린 시간이 다시 올 수 있다는 착각을 하게 됩니다.

지나온 시간이 그냥 길바닥에 버려지지 않았지만 후회되는 일이 많습니다. 조금 더 힘을 내볼 것을, 잠시 기다려 주는 인내를 가져볼 것을, 땀을 내는 시간을 더 가져볼 것을, 많은 고민을 해볼 것을 이런 생각을 해보지만, 여전히 지나간 시간은 잡을 수가 없고 돈으로도 살 수 없고 되돌릴 수 없어 아쉽습니다. 그래도 후회스러운 그 일을 다시는 반복하지 않겠다는 다짐을 해 보는 시간이 주어져 너무나 감사합니다.

시간은 나를 사유(思惟)하게 합니다. 지나놓고 보면 모든 게 잘못입니다. 어쩌면 사람들은 잘못된 삶을 통해서 선(善)한 삶을 꿈꾸는 것 같습니다. 사회와 국가가 잘 운영되도록 하겠다는 많은 정치인들은 개인이 추구하는 가치와 사회적 방향성이 같은 정당의 이익이 사회 전체 이익에 반함에도 결코 그 뜻을 굽히지 않는 오류로 사회질서를 어지럽게 하여 정치인이 추구하고자 하는 법 있는 세상에 스스로 반하고 있고, 더 나은 물질적 풍요와 삶을 위하여 자신의 지식과 열정을 쏟아붓고 있는 경제인들 중에는 좋은 역할에도 불구하고 과시와 잘못된 재분배로 빛을 바라는 경우가 있고, 사회적 약자를 돕는다는 명분 하에 자신의 이익을 살짝 얹어가는 봉사자도 우리는 볼 수 있습니다.

제 자신도 그렇습니다. 나 자신을 위해서 또는 내가 속한 조직을 위한다는 구실로 시민을 어렵게 한 여러 가지 일이 있었습니다. 마땅히 그것이 잘못된 것임을 알면서도 모르는 척 대의를 위한다는 구실로 메꾸어 간 시간들이 있었습니다. 지금에라도 그 잘못을 통해서 배웁니다. 그래도 우리 사회가 이나마 굴러가는 것은 묵묵히 자신의 땀과 노력으로 가족과 사회를 위하여 일하고 무엇보다 대가가 무엇인지를 모르는 사람들에 의해서 잘 굴러갑니다. 그래도 내가 그들을 위선자와 위약자임을 구분할 줄 아는 안목이 어느 정도 생긴 것 같으니 지나온 시간이 헛되지 않았음을 느낍니다.

▸ 시작과 끝

91년 2월 광산구청 인사팀에 서류를 제출했다. 인적 사항, 학력, 가족 사항 등을 적은 서류와 이를 입증하는 증명서를 첨부했던 것 같고 우리 동네에 살았던 개인택시 기사의 인감도장이 꽉 박힌 신원증명서도 제출하여 법적으로나 정신·육체적으로 성실한 대한민국 국민임을 확인받고 난 얼마 후 광산구청에서 공무원 생활을 시작했다. 큰 책상과 다소 편안한 등 받침이 있는 의자는 직장생활이 나름 좋기도 하구나 하는 일시의 자만감을 심어 주기에 좋은 물건이었다.

이렇게 시작한 생활이 지금까지 큰 변화 없이 이어져 오고 있다. 나는 소위 말하는 84학번이다. 40년 전이다. 고등학교를 졸업하고 대학 선택의 기로에 놓였다. 여러 가지 생각이 들었다. 졸업 후 미래를 생각해 봤다. 문과가 갈 수 있는 학과는 대부분 국어국문학과, 영문학과 등 이런 학과가 많아서 쉽게 결정하지 못했다. 졸업하면 먹고 사는 게 힘들 것 같아서였다. 그래도 이리저리 찾아보니 눈에 들어오는 과가 몇 개 있었다. 당시에는 지금과는 달리 에어컨이나 난방기가 설치된 곳이 거의 없었다. 여름에 덥고 겨울에 추울 때 가장 먼저 생각나는 곳이 관공서와 은행이었다. 특히 은행은 큰 길가에 있어 들어가기도 쉬웠고 여름에 엄청 시원하고 겨울에는 뜨겁다. 한마디로 표현하면 근무 환경이 좋은 곳이다. 그리고 항상 하얀 와이셔츠가 돋보이는 정장을 입고 있어 멋있기도 해서 은행에 근무하면 좋을 것 같았다. 그래서 진로를 결정했다. 회계학과로 원서를 내밀었다. 내 첫 전공은 회계학이다. 꿈꿨던 은행에서의 근무는 이루지 못했지만, 전공의 영향으로 방학 중 은행에서 알바도 하곤 했으니, 은행에 들어가 보긴 한 것 같다. 그 뒤에 환경, 식품을 따로 공부했다. 지금은 산림에 곁눈질이다. 그래도 이렇게 여러 가지 분야를 공부한 덕택으로 타 분야를 나름 이해하는 사람이 되었다.

첫 월급을 받았다. 본봉 260,000원 가량이다. 편지 봉투보다 좀 큼직한 노란 봉투에 매월 20일 십 원 단위까지 맞추어 현금이 들어있었다. 어떤 직원은 서무가 볼펜으로 지급 내역을 기재하기 때문에 봉투를 하나 구해 자기가 받은 월급을 적게 기재해서 집에 가져다 주고 삥땅(?)을 치는 경우도 있었다.

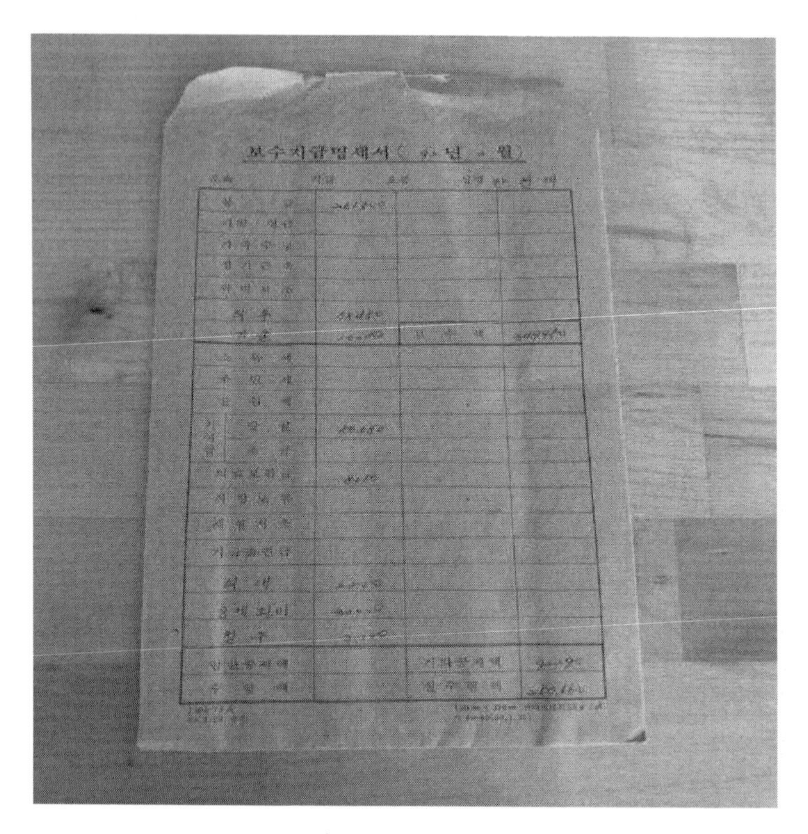

보수지급명세서 (년 월)

92년 2월 월급 명세서

몇 년간은 이런 식으로 월급을 받았다. 첫 월급은 모두 책을 사는 데(?) 썼다. 친구가 동아 출판사 외판원이었는데 이번만 판매하면 과장으로 승진한다고 부탁해서 어쩔 수 없이 가장 싼 한국근대문학 전집을 구입했다. 읽지는 않고 오랫동안 집 구석진 곳에 보관했다가 몇 년전에 재활용품장으로 향했다. 지금 생각해도 아까워 죽겠다. 그리고 그 친구는 연락이 안 된다.

이렇게 책을 사는 것으로 시작한 월급은 지금까지 버틴 결과 본봉의 26.5배가 증가했고, 전체 월급 증가율은 2,545%다. 구체적으로 말하기 그러니 궁금하면 알아서 계산해 보시라. 계산식은 회계학 전공자가 아니어도 간단하게 할 수 있으니 말이다. 쓸데없이 출·퇴근 거리를 계산기로 토닥거려 보니 약 237,600km다. 지구를 6바퀴 돈 거리다.

이 기간에 유독 생각나는 사람과 풍경이 있다. 아침 출근길 29번 버스를 타기 위해 버스 정류장에 간다. 그러면 중학교 고학년쯤인 머리를 곱게 빗은 여학생과 어머니로 보이는 중년 여자분이 함께 있다. 잠시 후 버스가 도착하면 학생만 올라탄다. 나도 이 버스에 탄다. 한참을 지나 신창동쯤 오면 학생이 일어선다. 금방 내릴 줄 알았다. 하차 문 앞에 서 있던 그 학생은 10개 정도 정류장을 지나 월곡시장을 한 코스 더 지나 내린다. 이후 알고 보니 정신지체 학생이다. 지금은 시간이 흘러 학교를 졸업할 나이가 훨씬 지나 그 버스를 타지 않지만, 버스에서 제대로 내릴 수 있을지 지켜보는 조마조마한 내 마음과 대비되는 그 학생의 앞날을 응원한다.

자가용으로 출근하는 경우 천변 좌로를 따라 시청 뒷길로 접어든다. 계절마다 바뀌는 풍경이 다채롭다. 벚꽃과 하천의 억새는 마음을 환하게 해주지만 장마철과 많은 눈이 내릴 때 비상근무로 갈 길이 바빠 엑셀에 힘이 들어가는 조급한 경우도 많았다. 그래도 그 모든 것이 나의 시간이어서 좋았다. 이제는 아침마다 광산구청으로 출근하는 시간이 끝을 보는 게 눈에 그려진다. 그러나 나는 안다. 끝이란 것은 우리가 정해 놓은 것이지 원래 없는 것이고 설령 저 멀리 끝이 있다 해도 미리 다가오는 것을 걱정할 필요가 없는 것이고, 걱정한다고 오지 않는 것도 아니기 때문이다. 모든 것이 감사하다.

▸ 주절주절 몇 가지 이야기

공무원으로서 잘 지내왔다. 헌법에 보장된 자유권을 충분히 누리면서도 적당한 선에서 공무원 복무규정을 지키면서 지내왔다. 가진 게 풍족하지 않아 사치가 없어 공무원 품위를 떨어뜨리는 일도 없었고, 남한테 의심의 눈치를 받지도 않았고 정도를 벗어나지 않는 범위 내에서 눈치껏 살아와 자연스럽게 법에 규정된 공무원으로서 지켜야 하는 일들을 무리 없이 해왔다. 직업으로서 공무원은 우연의 선택이었지만, 내가 계획한 일이 공동체에서 시행되고 발전하여 시민의 삶을 높일 수 있는 희망을 보는 것은 좋았다.

누가 그러한 일을 할 수 있겠는가? 공무원만이 할 수 있습니다. 공무원으로서 주어진 사명은 타협의 대상이 아닙니다. 그래서 공무원은 자신의 일에 대한 전문적 지식을 쌓아야 하고 시행 전 충분한 검토가 필요한 법입니다. 일에 대한 선택권도 주어지지만 그에 따른 책임도 주어집니다. 칼의 양면입니다. 잘 다루면 맛있는 요리를 내어놓지만 그렇지 않으면 사람을 다치게 하기 때문입니다. 그래도 저는 주어진 일에 대하여 책임감을 가졌고, 주민, 민원인이 조금 더 나은 생활을 바라는 마음을 가졌습니다. 남은 시간도 그렇게 지내겠습니다.

마지막 편지라 가족 이야기를 펼칩니다. 식구는 5명입니다. 아내와 딸 둘, 아들 하나 그것도 큰딸, 중간에 아들, 막내가 딸이어서 점수로 환산하면 200점입니다.

처음에 결혼 생활을 시작할 때는 경제적 어려움이 크지 않았습니다. 가진 돈은 적었지만, 필요한 곳에만 썼던 이유로 남한테 손을 빌릴 이유가 없었습니다. 적은 월급이지만 아내가 워낙 알뜰해 거의 모든 음식은 집에서 먹은 덕분에 엥겔지수(소비 비용에서 음식 구입비가 차지하는 비율)를 최대한 낮춰 그런대로 버티며 살았습니다. 그러나 아이가 생기고 하니 상황이 바뀌었습니다. 분유 값, 기저귀 값은 왜 그리 비싼지 식비는 비교도 되지 않았습니다. 아이들 옷값도 만만치 않았고, 경조사는 왜 그리 많은지 수입에 비해 지출이 많았습니다. 분기별로 나오는 보너스로 움푹 질퍽거리는 웅덩이를 건넜고, 시간이 지나감에 따라 그래도 늘어나는 월급으로 위로하며 지금껏 살아왔습니다. 지금은 큰딸과 아들이 대학을 졸업하고 막내는 대학 3학년입니다. 어찌 잘 되겠지요?

잘 돼가고 있습니다. 그래도 힘들었던 시간임에는 틀림이 없지만 좋은 기억이 더 많은 걸 보니 그래도 나름 꽤 잘 살았지 않나 싶습니다. 누구나 마찬가지겠지만, 부모는 자식이 자신보다 더 잘 살기를 바랍니다. 이 나이가 되니 그것이 삶의 목표가 되어버린 부모가 많음을 알게 됩니다. 저도 그렇습니다. 그런 면에 있어서 저는 매우 희망적입니다. 가정 내에서 여태껏 노동의 대가를 화폐의 가치로 계산하여 받는 사람은 저 혼자였습니다. 노동의 대가는 꼭 일터에 나가서 일을 하는 사람들에게만 주어지는 것이 아니라 가정에서 아이와 부모를 돌보는 사람에게도 주어져야 한다는 생각을 가지고 있습니다만, 어찌 되었든 지금까지 정기적으로 월급을 받는 사람은 저 혼자 였던 이유로 힘들었지만 그게 지금의 저에게는 오히려 힘이 되고 있습니다. 산술적으로 보더라도 몇 년 후면 우리 가정의 수입은 훨씬 늘어날 것이어서 지금보다 배 이상의 지출을 감당할 자신이 있습니다. 그때는 쇠고기에 또는 큼직하게 썰어낸 자연산 회에 소주 한잔 부담 없이 먹을 날을 그려보니 괜히 기분이 좋습니다.

물론 경제적 이유보다 더 중요한 이유가 있습니다. 가족의 건강한 정신을 자부합니다. 주변에 아는 사람들은 모두 그렇게 이야기합니다. 아이들이 인성도 좋고 착실하고 혼자서도 잘하니 참 사랑스럽다 합니다. 즉, 민주시민 의식을 갖추고 있다 할 수 있습니다. 그리고 겸손하지만 무례한 말인지는 몰라도 아이들이 그렇게 자랄 수 있도록 보여준 나와 아내의 행동에 스스로 자랑스럽기도 합니다. 저는 이처럼 앞날이 무척이나 밝은 사람이어서 걱정이 없고 지나온 광산구청에서의 생활도 무척이나 좋았습니다. 당연히 직원분들도 저 이상으로 그러할 것입니다.

좋은 직원, 좋은 시민이 되시길 바랍니다. 우리는 어떤 마음으로 시민을 대해야 하는지를 생각해 봤습니다. 세상이 좋아졌다고 합니다. 정말 좋아졌습니다.

어릴 적 내가 느꼈던 불편했던 오감의 기억이 편안함으로 다가옵니다. 그러면서도 불안감도 함께 가지고 있습니다. 나를 대체할 무언가가 나를 억압하지 않을지 하는 불안감 말입니다. 4차 산업혁명 시대입니다. 천재 바둑기사 이세돌을 꺾은 알파고를 지나 자율주행, 인공지능, 빅데이터, 사물인터넷을 이야기하고 있고 지금의 이 속도라면 5차, 6차 산업혁명 시대가 곧 도래할 것 같습니다.

그런데 미국의 한 미래학자는 4차 산업혁명 시대에 있어 부자인 사람은 완벽하게 인간에 의한 서비스를 받고 그렇지 않은 사람은 완벽하게 기계에 의한 서비스를 받는다고 합니다. 답은 이 구절에 있습니다. 시대와 사회가 발전해 갈수록 사람들은 인간성에 목말라 합니다. 거칠고 투닥거리는 아날로그에 집중하고 거기에서 즐거움과 재미를 찾고자 합니다. 시민들은 사람을 찾습니다. 사람은 기계보다는 체온에 집중하고 수치보다는 마음을 바라기 때문입니다. 시민은 그런 공무원을 바라고 있습니다. 이렇듯 공무원은 따듯해야 합니다.

▸ 내 자신에 대한 위로

공무원을 직업으로 30년이 넘었다. 무슨 일이든지 30년 이상 하는 것에 대해서는 평가에 상관없이 박수를 보내고 싶다. 어떤 사람은 팔십 평생을 같은 일을 해 오신 분이 많아 내가 보낸 30년은 조족지혈이라 큰 의미를 부여하기엔 그렇지만. 다만 어떤 일이든 마치고 나면 후회가 되는 일이 있다. 그래도 공무원으로서의 마음만큼은 올곧게 가져왔다.

얼마 전 직원들과 회식이 있었다. 요즘 잦은 호우로 인한 비상근무 보상 문제에 대한 이야기가 있었다. SJ씨가 말했다. 내부적으로 복지 문제는 계속 개선되어야 하지만, 비상근무는 공무원이 있는 목적이라 직원들이 비상근무를 하는 데에 있어 특별한 이의 제기도 없고 그렇게 해서도 안 된다는 의견을 주었다. 재해 현장에 누군가는 제일 먼저 가야 하고 그 누군가는 공무원이어야 하기 때문이란다. 나도 그 의견에 동의하며 한마디 거들었다. 혹여 국가 안위에 무슨 일이 생겨 누군가가 제일 먼저 앞서야 한다면, 그 누군가는 공무원이어야 하고 그 앞에는 나일 거라고 했다. 그래야 공무원으로서 존재와 나의 자존심이 살 것 같았다. 그리고 진심이다.

시민을 사랑하는 마음을 모두가 외친다. 청장님은 더욱 그렇다. 행사가 많으니 그럴 수밖에 없다. 마음속 깊은 곳도 그럴 것이다. 그리고 시민을 가장 사랑하는 사람은 그분이다. 그래서 시민들로부터 선택된 것이다. 그 와중에도 나는 말한다. 시민을 가장 사랑하는 사람은 그분이더라도 나의 마음은 항상 청장님 앞에 시민을 두었다. 시민 속에도 청장님이 있으니 그래도 핑곗거리는 된다. 그래서 마음으로나마 창피하지 않았다. 그런 마음으로 지내온 내가 자랑스럽다.

나는 참 행복한 사람이다. 능력 이상의 기대치를 인정 받았다. 부모님이 바라던 쎄가 빠지게 일하지 않고 넥타이를 맬 수 있는 공무원을 직업으로 두었다. 말하지 않고 가만 있으면 속이 깊다 한다. 난 그냥 말하기 싫었을 뿐인데, 혹여 맞장구라도 쳐주면 진솔하다 하고, 화난 민원인의 말을 묵묵히 듣고 있으면 인내심이 대단하다고 하면서 오히려 미안하다고 한다. 그래서 나의 단점을 숨기고 장점이 도드라지면서 나름 편하게 되었고 좋은 사람이 되었다. 이렇게 잘 살아왔으니 앞으로의 남은 시간도 그럴 거라고 짐짓 위로를 해본다.

지방자치, 지방분권 시대입니다. 지역의 힘을 가지고 다름을 추구합니다. 광산구청은 다른 지방자치단체와 다른 특별함이 있나요?

서울이나 부산에 거주하는 시민이 광산구청 하면 확 다가오는 느낌을 가진 것이 있나요? 지금 용산역에서 광산구청 하면 떠오르는 단어를 써 보세요. 하면 무슨 단어를 쓰게 될까요?

뭐라도 자신 있게 써주는 시민은 많지 않을 것 같습니다. 그럴 수밖에 없는 것 같습니다. 지방자치단체는 인력과 예산이 인구에 비례하고 타 자치단체의 수준에 맞추어 지원이 이루어지고 있기 때문입니다. 직원도 시험을 통과한 합격자를 인원이 모자라는 순서대로 자치단체로 보내고 있어 직원 선택도 일방적이라 애초에 지역에 맞는 인재를 찾는 것도 불가능합니다.

그러면 어떻게 해야 우리 지역의 인지도와 발전을 가져올 수 있을까요? 제가 생각하는 답은 원론적인 얘기밖에 할 수 없습니다. 우리나라의 뛰어난 서예가로 한석봉과 김정희가 있습니다. 그런데 가만히 생각해 보니 뛰어난 서체를 가지신 분들이지만 한문입니다. 1443년 훈민정음이 반포되고 백년 뒤에 한석봉이 삼백 년이 훨씬 지나 김정희가 태어났습니다. 일부나마 한글로 만든 책이 만들어지고 읽히던 때입니다. 그 좋은 서체를 가지신 분들이 한글 서체를 만들었다면 어땠을까 하는 생각이 들었습니다.

무작정 같은 것이 아니라 다름을 찾아내고 발전 시켜가는 것이 지역을 키우는 것이 아닐까 합니다. 그리고 나름 저는 맡은 업무에서 그렇게 하려고 노력했음에 스스로 위로를 얻습니다. 지역을 위하여 우리는 많은 고민을 합니다.

고민 속에서 아픔이 생기지만 아픔을 치유하기 위한 행동으로 시민과의 거리가 가까워집니다. 그걸 알기 때문에 공무원은 열심히 일합니다. 그런데 일을 하는 과정에서 내가 아픕니다. 나를 치료해야 합니다. 웃읍시다. 마음이 아픈 우리에게는 유명인이나 철학자의 고상한 말보다 바보의 웃음이 필요합니다. 그냥 따라 웃다 보면 그게 위로가 됩니다. 운전하는 차 안에서도 미친 듯 웃어 보고 안 보이는 곳에서 헤벌쭉합니다. 제가 그랬습니다. 그래서 위로를 얻고 지금까지 왔습니다.

▸ 문득 이런 말을 하고 싶어요

산을 오를 때 처음이 제일 힘듭니다. 일도 그렇습니다. 우리는 그 힘듦을 모두 벗어났습니다. 힘내시고 즐기시기 바랍니다. 힘들면 그냥 웃어주세요. 고향에 부모님이 계시면 자주 연락하세요. 부모님이 자식에게 듣고 싶은 말은 부모의 안부를 묻는 것보다 내가 잘 있다고 이야기해 주는 거랍니다. 그러니 평시에 건강관리 잘하셔서 부모님께 효도하세요. 사람의 신체 능력은 나이가 들어감에 따라 비가역적이라 합니다. 즉, 되돌릴 수 없다네요. 그런데 뇌의 기능은 가역적이라고 합니다. 머리 잘 굴려서 인정받는 직원이 되시고 치매도 미리 예방하세요. 소속감은 그냥 주어지는 것이 아니라 스스로 만들어가는 거라 합니다.

광산구청으로서 직원으로 남기 위해서는 자기 일에 최선을 다하는게 좋을 것 같아요. 무슨 말인지 이해되시죠? 누군가는 얘기합니다. 오늘을 마지막처럼 살면 성공한 인생을 가져온다 합니다. 그런데 그렇게 사는 것은 너무 힘들어요. 숨 막혀요. 내일 죽어도 오늘 오전은 즐기세요. 그게 성공한 인생 아닐까요? 그래도 오후는 열심히 사세요. 사람이라면 반성의 시간이 필요하잖아요.

▸ 추신

지금까지 졸필을 쓰면서 두려운 일이 있었어요. 글의 내용과 내 행동이 불일치할까 염려스러웠습니다. 오히려 소통(疏通)을 위해서

쓴 글이 거짓이 되고 불통(不通)이 될까 봐 힘들었습니다. 그래도 그런 덕분에 행동을 조심하게 되어 글을 쓰기 이전보다는 좀 나은 평가를 기대합니다. 평가는 여러분들에게 맡깁니다.

나름 마지막 편지라 완성도를 높이려 했지만, 오히려 억지가 될 것 같고 광산구청에서의 주어진 시간도 좀 남고 하여 평상시와 같이 편안하게 썼습니다.

인생의 삶이 그렇잖아요. 마지막 순간까지 지금처럼 살면 좋은 삶이라고 생각합니다. 잘 살려고 노력할 필요가 없어요. 살다 보면 잘 살게 되는 것 같습니다.

그동안의 러브레터를 사랑해 주신 직원 동료 여러분 감사했습니다. 이제 잠시 쉼표를 찍고자 합니다.